LES GRANDES ÉTAPES

DU

MYSTÈRE DU SALUT

PAUL DE SURGY

LES GRANDES ÉTAPES
DU
MYSTÈRE DU SALUT

LES ÉDITIONS OUVRIÈRES
12, avenue Sœur-Rosalie — PARIS - 13ᵉ

Nihil obstat :
Angers, le 20 mars 1958.
Fr. M.-J. Gerlaud, O.P.,
  Censeur délégué.

Imprimatur :
Quimper, le 28 mars 1958.
† André,
Evêque de Quimper et de Léon.

IMPRIMÉ EN FRANCE   PRINTED IN FRANCE

BIBLIOGRAPHIE

G. Auzou : *La parole de Dieu, approches du mystère des saintes écritures*, Paris 1956.

G. Auzou : *La tradition biblique, histoire des écrits sacrés du peuple de Dieu*, Paris 1957.

L. Bouyer : *La Bible et l'Evangile*, Paris 1951.

C. Charlier : *La lecture chrétienne de la Bible* [5], Maredsous 1952.

J. Daniélou : *Essai sur le mystère de l'histoire*, Paris 1953.

J. Dheilly : *Le peuple de l'Ancienne Alliance*, Paris 1954.

S. de Dietrich : *Le dessein de Dieu* [4] (coll. de l'« Actualité protestante »), Neuchâtel 1951.

A. Gelin : *Les idées maîtresses de l'Ancien Testament*, Paris 1949.

P. Grelot : *Introduction aux Livres Saints*, Paris 1954.

L.-H. Grollenberg : *Atlas de la Bible*, Paris-Bruxelles 1955.

J. Guillet : *Thèmes bibliques*, Paris 1951.

R. Hasseveldt : *Le mystère de l'Eglise*, Paris 1953.

P. van Imschoot : *Théologie de l'Ancien Testament*, 2 vol., Paris-Tournai-New-York-Rome, t. 1, 1954; t. 2, 1956.

Ligue Catholique de l'Evangile : *Cahiers « Evangile »*, Paris.

H. de Lubac : *Méditation sur l'Eglise* [3], Paris 1954.

A. Robert (†) et A. Feuillet : *Introduction à la Bible*, Tournai 1957.

A. Robert (†) et A. Tricot : *Initiation biblique* [3], Paris-Tournai-Rome-New-York 1954.

Grâce à l'aimable autorisation des éditions du Cerf, les citations bibliques sont faites habituellement d'après la traduction de la « Bible de Jérusalem ». Par souci d'uniformité, le nom divin a été orthographié « Yahweh » dans les citations comme dans le texte de l'ouvrage. Les cartes qui figurent dans ce volume sont dues à l'obligeance de M. l'abbé Gérard Lefeuvre.

PRINCIPALES ABRÉVIATIONS

Act	Actes des apôtres
Am	Amos
Ap	Apocalypse de saint Jean
Col	Epître aux Colossiens
1 Cor	Première épître aux Corinthiens
2 Cor	Deuxième épître aux Corinthiens
Deut	Deutéronome
Eccl	Ecclésiaste
Eccli	Ecclésiastique
Eph	Epître aux Ephésiens
Ex	Exode
Ez	Ezéchiel
Gal	Epître aux Galates
Gen	Genèse
Heb	Epître aux Hébreux
Is	Isaïe
Jac	Epître de saint Jacques
Jer	Jérémie
Jg	Livre des Juges
Jn	Evangile selon saint Jean
1 Jn	Première épître de saint Jean
2 Jn	Deuxième épître de saint Jean
3 Jn	Troisième épître de saint Jean
Jos	Josué
Lam	Lamentations
Lc	Evangile selon saint Luc
Lev	Lévitique
Mal	Malachie
Mc	Evangile selon saint Marc
Mich	Michée
Mt	Evangile selon saint Matthieu
Neh	Néhémie
Os	Osée
1 Petr	Première épître de saint Pierre
2 Petr	Deuxième épître de saint Pierre
Phil	Epître aux Philippiens
Prov	Proverbes
Ps	Psaumes
Rom	Epître aux Romains
Sag	Sagesse
Sam	Samuel
Soph	Sophonie
1 Thess	Première épître aux Thessaloniciens
2 Thess	Deuxième épître aux Thessaloniciens
Tim	Epître à Timothée
Zach	Zacharie

AVANT-PROPOS

Deux faits sont à l'origine de cet ouvrage. Il y a quelques années, achevant une causerie sur l'Alliance à des prêtres engagés dans le ministère paroissial, je m'excusais d'être resté loin de leurs préoccupations pastorales, quand un aumônier régional de J.O.C. dit, au contraire, avoir remarqué que la connaissance des grandes perspectives bibliques donnait aux jeunes ouvriers chrétiens, vivant avec des jeunes gagnés par des mystiques de masse, le sentiment qu'ils ne leur étaient en rien inférieurs puisqu'ils possédaient, eux aussi, une mystique aux dimensions du monde. Cette observation m'a paru très importante. L'autre fait remonte au congrès des Instituts Catholiques tenu à Angers en 1955 : comme il arrive souvent dans ces rencontres, nous nous étions interrogés, professeurs et étudiants, sur la manière dont les Instituts Catholiques peuvent aider ceux qui les fréquentent à acquérir une synthèse de pensée chrétienne, et une discussion sur le sens de l'histoire s'était ouverte à cette occasion. C'est à la suite de cet échange que les cours bibliques de l'hiver 1955-1956 eurent pour thème « les grandes étapes du mystère du salut ». Chaque cours, une fois élaboré, était mis au point avec une équipe d'étudiants parmi lesquels je tiens à remercier particulièrement Jean-Yves Hameline et Jean-Marie Chupin (Théologie), Yann Page (Droit), Marie-Madeleine Humeau (Sciences) et Anne de Ferrière (Educatrices). La fidélité de l'auditoire, le désir exprimé par plusieurs étudiants et les encouragements du T.R.P. Gerlaud et de M. Gelin m'ont amené à reprendre ces cours pour les publier.

Ce livre — est-il besoin de le dire ? — n'a aucune préten-
tion à la nouveauté : il utilise le bien commun de l'exégèse,
et le lecteur sera fréquemment renvoyé aux ouvrages de
solide vulgarisation qui sont nombreux aujourd'hui. Il se
présente, à côté de bien d'autres, comme le résultat d'une
expérience de pastorale biblique et a été écrit dans le but
de faciliter à des laïcs le premier contact avec les Livres
Saints en leur donnant, au point de départ, une vue d'en-
semble du mystère du salut et en les portant, dès le début,
à chercher dans la Bible la Parole de Vie. Peut-être pourra-
t-il aider certains lecteurs familiers de la Bible à mieux en
percevoir l'unité et rendre service, occasionnellement, à
des prêtres dans la préparation de cercles d'études.

En raison de l'ampleur du sujet, chaque étape du mys-
tère du salut n'a pu être traitée que d'une manière schéma-
tique. Cette façon de procéder permet de mieux saisir les
grandes lignes du dessein de Dieu, elle ne saurait, cepen-
dant, dispenser d'un effort de connaissance plus approfon-
di : il y a lieu de le noter tout particulièrement pour les
chapîtres sur le Christ, l'Eglise, et le salut des non-évan-
gélisés. Pour la même raison, il ne faut pas chercher dans
ces pages la solution de problèmes aussi complexes que le
genre littéraire du début de la Genèse, la valeur historique
des plaies d'Egypte ou le caractère des traditions du Pen-
tateuque : on a simplement esquissé quelques lignes de
solution pour permettre au lecteur de ne pas se laisser
arrêter par des objections et de poursuivre la lecture en
attendant de trouver des explications plus détaillées dans
des ouvrages spécialisés. De même les applications à la vie
chrétienne qui suivent les divers exposés ne sont que par-
tielles et demandent à être précisées et complétées.

Les notes qui ont servi à la rédaction de cet ouvrage
avaient été composées en vue d'un enseignement oral :
j'espère avoir indiqué toutes les références aux livres uti-
lisés; s'il y avait quelque omission, ce serait par une erreur
involontaire dont je tiens à m'excuser.

*Si, malgré ses imperfections, ce livre pouvait aider quel-
qu'un à entrer en contact avec la Parole de Dieu et à mieux
comprendre la vocation que le Seigneur lui a réservée dans
l'histoire du salut, cet ouvrage aurait pleinement atteint
son but.*

PAUL DE SURGY.

Angers, le 18 mars 1958.

Chapitre Premier

LA BIBLE CONTIENT-ELLE UNE MYSTIQUE ?

NOTION DE MYSTIQUE

Message de Dieu aux hommes, la Bible contient-elle une mystique ?

Avant de répondre à cette question, il faut en préciser le sens et la portée. Dès l'abord une distinction s'impose entre « la mystique » et « une mystique ». Habituellement, l'expression « la théologie mystique », ou, simplement, « la mystique », désigne la doctrine des relations spirituelles entre l'âme et Dieu, spécialement dans leurs degrés les plus élevés : on parle ainsi d'états et de voies mystiques, de grands mystiques, tels saint Bernard, saint Jean de la Croix, sainte Thérèse de l'Enfant-Jésus... Il suffit d'ouvrir la Bible, livre religieux par excellence, pour s'apercevoir qu'elle contient une doctrine de vie spirituelle : qu'on se rappelle les accents mystiques de Jérémie, des psalmistes et de saint Paul, ou le caractère contemplatif des écrits de saint Jean ! Ceci, toutefois, ne permet pas de répondre au problème soulevé plus haut. De nos jours, en effet, on emploie souvent le terme « mystique » dans un sens assez différent : on dit que quelqu'un a « une mystique », en parlant d'un homme pris par un idéal qui le fait agir et le soutient dans ses entreprises. C'est ainsi qu'on a parlé de mystique nazie, idéologie fondée sur le principe de la domination d'un groupe racial et poussant ses adeptes à la réaliser concrètement ; on parle communément de mystique marxiste, vue matérialiste du monde et de son évolu-

tion qui anime des dévouements mal éclairés, mais réels ;
enfin, on parle de mystique chrétienne, vue du monde et de
son destin inspirée par la foi et se traduisant dans la vie.
De cette mystique chrétienne, on peut voir chaque jour les
effets, si l'on sait être attentif : elle seule permet de comprendre celui qui donne son sang pour le Christ, le missionnaire ou la religieuse qui abandonne tout pour annoncer
l'Evangile, le prêtre qui renonce à un avenir humain et à
une famille pour être davantage au service de Dieu et des
autres, le militant chrétien qui, parfois, refuse l'avancement auquel il a droit pour rester plus près de ses frères,
le laïc qui rend témoignage au Christ dans sa famille et
la cité.

De ce point de vue, il semble que l'on puisse définir une
mystique comme *une vision du monde et de l'histoire qui
pousse l'homme à agir et oriente son action.* Trois traits la
caractérisent : sa dimension universelle, son aspect dynamique et sa répercussion sur la vie. Une mystique donne
une *vision du monde* qui permet à chacun de prendre conscience de sa place dans l'univers et de sa solidarité avec
l'ensemble des hommes : à ce propos, on peut songer au
soutien que procure au savant dans son laboratoire, à l'ouvrier dans son usine, le fait de savoir que le travail accompli a sa place dans le monde et lui est utile. Toute mystique
comporte une *vision de l'histoire,* du mouvement du monde :
cette vue dynamique des choses et des événements aide
l'homme à se rendre compte de la contribution qu'il doit
apporter au développement de l'histoire et à l'avenir du
monde, sur le plan matériel et spirituel. Enfin, une mystique est une *vision qui pousse à l'action et l'oriente :*
l'homme qui possède une mystique est, par définition, militant [1]. En présence d'une vision du monde et de l'histoire
sans retentissement sur la vie et l'activité de celui qui la

---

1. Dans le cas du chrétien, celui-ci n'est pas un simple militant. Le R.P. Congar observe, avec raison : « Un apôtre est un

possède, on peut parler de théorie, d'opinion, de manière de voir, mais non de mystique.

Le sens du mot étant ainsi précisé, peut-on dire que la Bible contient une mystique ?

La lecture du texte sacré permet de répondre affirmativement.

ANCIEN TESTAMENT : MYSTIQUE FONDEE SUR DES PROMESSES

Déjà l'Ancien Testament contient les éléments d'une mystique. C'est Abraham qui part pour un pays inconnu, fort de la promese divine qui lui assure une bénédiction destinée à rejaillir sur toutes les nations de la terre [2]. Ce sont les prophètes, champions de la cause de Dieu, dont l'activité inlassable s'enracine dans la foi en Yahweh, Maître de l'histoire, conduisant les événements vers le terme qu'Il a fixé [3]. Ce sont les Israélites qui gardent à Yahweh leur fidélité et leur espérance, parce qu'ils onts conscience d'appartenir au peuple porteur de la promesse divine .

> C'est lui notre Dieu, et nous
> le peuple dont il est le berger,
> le troupeau que mène sa main [4].

Ce sont encore les justes, dont l'espérance est pleine d'immortalité et dont le sage oppose la conduite à celle des impies qui ignorent les desseins secrets de Dieu et la destinée immortelle qu'Il réserve à l'homme.

---

homme de Dieu ; il fait tout autre chose que de la propagande ; il est un des éléments vivants du plan de salut de Dieu, il est comme une émanation du Seigneur lui-même... » *La Pentecôte, Chartres 1956*, Paris 1956, p. 122.

2. Gen. 12, 1-4.

3. Voir S. de Diétrich, *Le dessein de Dieu*, 4ᵉ éd., Neuchâtel 1951, p. 92 ; et, plus loin, le chapitre sur le prophétisme et les prophètes.

4. Ps. 95, 7 (trad. donnée dans *Vingt-quatre psaumes et un cantique*, éd. du Cerf).

Toutefois la mystique de l'Ancien Testament est essentiellement une mystique fondée sur des promesses dont on attend la réalisation.

NOUVEAU TESTAMENT : MYSTIQUE AU SENS PLEIN DU TERME

Avec le Nouveau Testament on trouve dans la Bible une mystique au sens plein du mot : le Christ est venu, Il a réalisé les promesses, fondé l'Eglise, annoncé son retour. En Lui se révèle et se réalise le plan divin du salut, et la Bible offre à tous les hommes une vision du monde et de l'histoire capable de les inciter à l'action et d'orienter leur activité. Cete mystique se révèle à chaque page du Nouveau Testament. C'est la proclamation du salut du monde en Jésus, mort et ressuscité, faite par Pierre, le jour de la Pentecôte, et suivie de l'invitation à en bénéficier [5]. C'est le prologue où saint Jean annonce la venue du Verbe éternel parmi les hommes et la filiation divine qu'Il apporte à tous ceux qui croient en Lui [6]. C'est la vision cosmique de la Rédemption dans le Christ donnée par saint Paul dans la lettre aux chrétiens d'Ephèse [7]. C'est aussi le message de l'Apocalypse aux chrétiens persécutés, pour les assurer de la victoire définitive de Dieu et les aider à « tenir », en orientant leur pensée vers la Jérusalem céleste et le retour glorieux du Christ. Comme on le voit, cette vision du monde et de l'histoire est bien une msytique puisqu'elle oriente l'action du chrétien et le porte à se dépenser pour le Christ : elle est accompagnée d'un appel à la conversion, elle est destinée à soutenir la persévérance des persécutés, elle demande une coopération de l'homme, la foi au sens johannique.

---

5. Act. 2, 14-40.
6. Jo. 1, 1-18.
7. Eph. 1, 9-10 ; *id*. Col. 1, 18-20.

PRESENTATION PAULINIENNE

Trois expressions complémentaires, qui servent à saint Paul pour désigner le plan éternel du salut, permettent de saisir le caractère particulier de la mystique chrétienne : le dessein de Dieu, la sagesse de Dieu, le Mystère.

Dans le discours d'adieux aux anciens d'Ephèse, l'Apôtre s'écrie :

Je l'atteste aujourd'hui devant vous : je suis pur de votre sang à tous. Car jamais je n'ai reculé quand il fallait vous annoncer en son entier le dessein de Dieu [8].

Ce dessein n'est autre que le plan de salut conçu par Dieu de toute éternité et réalisé dans le Christ Jésus : saint Paul en parle longuement dans l'épître aux Ephésiens où il traite de « l'éternel dessein que Dieu a conçu dans le Christ Jésus notre Seigneur » [9]... La connaissance de ce dessein de salut donne au chrétien une vision particulière de l'histoire.

La « sagesse de Dieu » désigne habituellement chez saint Paul la pensée salvifique éternelle concernant le salut du monde en Jésus-Christ [10]. La sagesse divine ne se conforme pas aux lois de la sagesse du monde et s'oppose à elle, en tant qu'elle se ferme à Dieu. La sagesse de Dieu atteint son but par le mystère de la croix et se révèle en Jésus crucifié : « Il est celui dont le don au monde nous rend accessible la connaissance profonde de la sagesse de Dieu » [11]. En adhérant au Christ et à son message, le croyant a accès à cette sagesse et, par là, possède un principe d'appréciation des choses et des événements qui lui est particulier.

---

8. Act. 20, 26-27.
9. Eph. 3, 11.
10. Voir L. Cerfaux, *Le Christ dans la théologie de saint Paul,* Paris 1951, p. 196.
11. *Id.* p. 206.

A diverses reprises, saint Paul parle aussi du mystère qu'il a charge d'annoncer [12]. Il s'agit du Mystère qui « a été tenu caché en Dieu depuis les siècles » et n'a pas été « communiqué aux hommes des temps passés », mais « vient d'être révélé maintenant à ses saints apôtres et prophètes, dans l'Esprit » : son objet n'est autre que l'annonce du salut dans le Christ et la proclamation de son message, d'où le nom de « Mystère du Christ » [13]. La révélation de ce mystère donne au chrétien une mystique qui lui est propre.

La proclamation contenue dans le Nouveau Testament est donc l'annonce de l'éternel dessein de salut que Dieu a sur le monde et qui a pour centre Jésus-Christ, la révélation de la sagesse divine qui se fait connaître en Jésus crucifié et atteint son but par des voies déconcertantes pour la sagesse du « monde », et la manifestation du Mystère, demeuré caché en Dieu depuis l'origine des temps, préparé pour notre gloire et ayant pour objet la réalisation du salut dans le Christ :

Ce dont nous parlons, c'est d'une sagesse de Dieu en mystère, celle qui est demeurée cachée, celle qu'avant l'origine des temps Dieu a préparée pour notre gloire, celle qu'aucun des princes de ce monde n'a connue, — car s'ils l'avaient connue, ils n'auraient pas crucifié le Seigneur de la gloire — ; mais, comme il est écrit : « les choses que l'œil n'a pas vues, que l'oreille n'a pas entendues, qui ne sont pas montées au cœur de l'homme, voilà ce que Dieu a préparé pour ceux qui l'aiment » [14].

La connaissance du dessein de Dieu, de la sagesse divine et du Mystère, autrement dit la connaissance du mystère du salut, donne une vision du monde et de l'histoire proprement originale qui est révélée dans la Bible et qui constitue la mystique chrétienne.

---

12. Rom. 16, 25-26 ; Eph. 3, 8-10.
13. Eph. 3, 4.
14. 1 Cor. 2, 7-9 (trad. part.).

TRAITS CARACTERISTIQUES

Le mystère du salut sera le thème de cet ouvrage, mais on peut déjà en indiquer quelques traits. On remarque, en parcourant la Bible, le caractère progressif de la réalisation du plan divin, qu'il s'agisse de la révélation, de l'éducation morale du peuple de Dieu ou des étapes historiques du salut. La conception biblique du temps n'est pas cyclique, fondée sur le renouvellement périodique des événements, comme chez les Grecs, mais linéaire, faite d'une succession d'actions définitivement acquises et orientées vers le but final de l'histoire [15]. L'accomplissement du salut présente un aspect à la fois personnel et communautaire : l'homme biblique n'est ni un individu isolé, ni un anonyme dans une masse, il est une personne dans un peuple. La mystique chrétienne a une dimension cosmique, car elle donne une vision du monde, et une dimension d'éternité : sans arracher le chrétien aux tâches d'ici-bas, elle reconnaît à son activité une répercussion éternelle. La révélation et la réalisation du plan de salut ont pour centre Jésus-Christ. Enfin l'histoire chrétienne est orientée vers son achèvement, qui aura lieu à la fin des temps, le retour du Christ.

LES GRANDES ETAPES DU MYSTERE DU SALUT

Le plan suivi pour l'étude du mystère du salut répond à plusieurs préoccupations. La première a été de marquer le cadre général du dessein de Dieu et les grandes étapes de l'histoire : la création, le choix d'Abraham, l'Exode, l'Alliance, l'Exil [16], l'Incarnation rédemptrice, l'Eglise, le

---

15. Voir Jean Daniélou, *Essai sur le mystère de l'histoire*, Paris, 1953, pp. 9-11.

16. Tout choix est nécessairement limitatif : pour l'Ancien Testament, on a retenu ce qui semblait le plus important du point de vue de l'histoire du peuple de Dieu et du point de vue de la recherche d'une mystique biblique, mais il faudrait,

retour du Seigneur. On a aussi chercher à mettre en relief les personnages qui ont marqué le déroulement du salut : Abraham, Moïse, les prophètes, les sages, les pauvres de Yahweh, le Christ, l'Eglise. Traitant de l'histoire du salut, il était nécessaire d'aborder, au moins de façon sommaire, le problème d'Israël et celui des païens. En guise de conclusion, il a paru utile de rassembler quelques perspectives sur Dieu et l'attitude de l'homme à son égard découvertes en cours de lecture.

COMMENT UTILISER CE LIVRE ?

On ne saurait trop conseiller à ceux qui utiliseraient ce livre comme premier guide biblique de lire, après chaque chapitre, les passages de la Bible qui lui correspondent et qui sont indiqués en temps voulu. Mais une simple lecture ne suffit pas pour recevoir vraiment la Parole de Dieu : il faut savoir prier avec la Bible en la recevant avec foi dans l'assemblée chrétienne ou en reprenant le texte sacré dans une méditation silencieuse. Il faut encore, pour entendre sincèrement la Parole divine, avoir le souci d'accorder sa vie avec la mystique qu'elle révèle : les orientations suggérées à la fin des divers chapitres ne sauraient suppléer à l'effort personnel et concret.

Entreprise dans cet esprit, la lecture de la Bible ne peut manquer d'éveiller le désir d'une connaissance plus approfondie du message divin et d'une réponse personnelle de plus en plus vraie au dessein de salut de Dieu sur le monde.

LECTURES

Ephésiens 1, 3-19 a et 3, 8-12.

---

assez rapidement, compléter ces premiers aperçus par l'étude de la période royale, du judaïsme et du développement du messianisme sous l'Ancienne Alliance.

Chapitre Second

LA CRÉATION ET LE PÉCHÉ

PREMIÈRES PAGES SUR LES ORIGINES

Tandis que l'histoire d'Abraham, point de départ de la formation du peuple élu, ne commence qu'au chapitre 12 de la Genèse, la Bible s'ouvre sur le récit des origines du monde et de l'homme. La présence de ces pages au début du livre sacré s'explique pour deux raisons principales.

Tout homme réfléchissant au problème de la destinée se pose les questions suivantes : qui a créé le monde ? d'où vient le mal ? la souffrance ? le péché ? la mort ? En un langage simple et imagé, les premiers chapitres de la Genèse donnent la réponse à ces questions et révèlent « les vérités fondamentales présupposées à l'économie du salut »[1] : sous cet aspect, ils constituent comme la toile de fond, l'arrière-plan devant lequel se déroule l'histoire du salut, et leur place au début de la Bible se comprend d'elle-même.

Il faut dire plus : pour la révélation biblique, comme pour la Tradition de l'Eglise, l'histoire du salut ne commence pas à l'élection d'Abraham, mais à la création du monde. Celle-ci, comme le note le R.P. Daniélou[2], est « une

---

1. R.P. de Vaux, O.P., *La Genèse,* Paris, p. 35.
2. Jean Daniélou, *Essai sur le mystère de l'histoire,* Paris 1953, p. 34.

action historique, un commencement des temps, et donc à
ce titre fait bien partie de l'histoire du salut ». Les premiers chapitres de la Genèse sont donc indispensables à
une révélation intégrale du dessein de Dieu.

QUE CHERCHER DANS CES CHAPITRES ?

Un esprit superficiel et dépourvu de toute sensibilité littéraire, surpris par le style des récits de création, pourrait être tenté de croire qu'ils ne contiennent aucun enseignement valable. Ne lit-on pas que le monde a été créé en
six jours, alors que personne ne doute qu'un temps considérable ait séparé la formation de la terre de l'apparition de l'homme ? Que penser de ce Dieu transcendant qui
est décrit façonnant l'homme à la manière d'un potier ?
Que dire, surtout, de ce Dieu terrible qui prive l'homme
de son amitié pour avoir désobéi en mangeant un fruit ?
S'arrêter à des objections semblables serait montrer une incompréhension totale du genre littéraire des trois premiers chapitres de la Genèse et exiger que leurs rédacteurs
se soient exprimés comme des écrivains du xxᵉ siècle. Or,
Dieu, par respect pour les hommes auxquels Il s'adresse,
fait parler l'auteur sacré selon sa culture et dans le langage
de son temps : c'est un fait dont il faut tenir compte pour
interpréter les textes, mais qui ne permet pas de nier leur
portée doctrinale.

A l'inverse, il n'y a pas à chercher dans ces chapitres
une explication scientifique de la constitution interne du
monde : ils ne livreront ni la date de la création, ni la succession des phases géologiques, ni une preuve en faveur de
la théorie de l'évolution. Tout indique, en effet, que l'auteur ne se propose pas de les faire connaître : seules les
vérités fondamentales, ayant une incidence religieuse, l'intéressent (Dieu a créé le monde, Il est intervenu spécialement pour créer l'homme et la femme, etc.).

On ne trouvera pas davantage une prise de vues ou un enregistrement des faits : il n'y avait ni télévision, ni magnétophone au paradis terrestre. « Les événements dont il s'agit se situent dans un domaine qui est par-delà l'horizon le plus extrême des temps historiques; ils ne peuvent donc être l'objet d'aucun témoignage humain. L'époque à laquelle ils appartiennent est... tellement éloignée de nous qu'on ne peut songer à la possibilité d'une tradition qui en aurait gardé le souvenir jusqu'au détail. » [3].

Il faut donc chercher dans ces textes les vérités que l'auteur sacré a voulu enseigner et, pour cela, faire le départ entre le mode d'expression de l'écrivain et la doctrine qu'il transmet. Comme plusieurs de ces vérités sont des faits, ceux-ci s'imposent avec la même certitude, compte tenu, toujours, de la distinction entre la part d'artifice littéraire et le fait affirmé lui-même. Sur ce plan il est légitime de parler du caractère historique des premiers chapitres de la Genèse [4] et il y a lieu de rechercher jusqu'où il s'étend.

LES RECITS DE CREATION

La Bible commence par deux récits de création (Gen. 1, 1-2, 4 et Gen. 2, 4b-3, 24), le plus anciennement rédigé étant le second. A première vue, cela peut sembler étrange, mais, en réalité, il n'y a rien que de très normal : ces récits, loin de faire double emploi, se complètent, et leur disposition est tout à fait logique. Le premier, en effet, se rapporte à la création de l'univers, dont l'homme est le sommet, le second a pour objet la création de l'homme et sa destinée.

---

3. A. Robert, *Genres littéraires de l'Ancien Testament,* dans *Initiation biblique,* 3e éd., Paris 1954, p. 283.
4. R.P. de Vaux, *id.*

LA COSMOGONIE — PREMIER RECIT DE LA CREATION

Le premier récit, plus récent (vi⁰ siècle avant Jésus-Christ), décrit en un style empreint de grandeur, et presque liturgique, la création de l'univers et de l'homme. Il relève de la tradition « sacerdotale »[5], dont il porte les principales caractéristiques : souci théologique et rituel, style sobre, présentation ordonnée et logique.

L'énumération détaillée des créatures est typiquement sémitique : là où un Grec se serait contenté d'affirmer que Dieu a créé le monde, un Sémite éprouve le besoin d'énumérer les êtres qu'il contient, poissons, oiseaux, bêtes sauvages, etc.[6]. La logique et la clarté du code sacerdotal se font jour dans la présentation des créatures. On l'a souvent noté, les œuvres de la création sont énumérées dans un ordre qui va du général au particulier et de ce qui est moins parfait à ce qui l'est davantage, et se répartissent en deux groupes, selon le schéma suivant :

Séparation des éléments	*Ornementation de l'univers*
Lumière — ténèbres	Soleil — lune — étoiles
Eaux d'en-haut — eaux d'en-bas	Poissons — oiseaux
Terre — mer — plantes.	Animaux Homme.

---

5. Les cinq premiers livres de la Bible, appelés encore Pentateuque, sont le résultat de la fusion de plusieurs traditions qui ont existé séparément : les traditions yahviste, élohiste, deutéronomique et sacerdotale, cette dernière émanant des milieux sacerdotaux de Jérusalem. On trouvera un bon exposé d'ensemble de cette question dans l'introduction de R.P. de Vaux au livre de la Genèse.

6. On rencontre la même manière de procéder dans le « Cantique des trois jeunes gens » (Dan. 3, 51-90) et dans le psaume 8.

Le souci rituel se manifeste dans le cadre donné à l'activité créatrice, celui d'une semaine de travail se terminant par un jour de repos : cet artifice littéraire avait pour but de rappeler aux Israélites que le repos sabbatique était voulu par Dieu.

Un examen un peu attentif du texte suffit pour s'apercevoir que l'auteur n'a pas voulu fournir des précisions scientifiques sur la création des êtres (cadre artificiel de la semaine, lumière créée avant le soleil, succession des êtres selon un plan logique...). Par contre, l'intention théologique est évidente, et c'est aux enseignements donnés qu'il faut s'attacher. Sans épuiser la richesse doctrinale du texte, on peut souligner quelques-uns d'entre eux.

Le Créateur est le *Dieu unique, distinct du monde et antérieur à lui.* Comparé aux mythes mésopotamiens, le récit biblique brille par la transcendance et la pureté de son monothéisme : Dieu ne sort pas du chaos comme les dieux babyloniens, Il est distinct de l'univers qu'Il crée; la lune et le soleil, les dieux Sin et Samas des Assyriens, sont des créatures du Dieu unique; et, tandis que les peuples sémitiques ont fait large part aux cultes astraux, l'auteur biblique enseigne que les étoiles, si belles dans le ciel d'Orient, ne sont que des êtres créés.

Dieu a créé le monde *avec sagesse :* tout a été conçu selon un plan bien ordonné et harmonieux : les plantes portent semence, les animaux sont doués de fécondité, tout est disposé en vue de l'homme qui reçoit domination sur les animaux qui peuplent la terre.

Dieu a créé l'univers *avec toute-puissance.* Pour le faire comprendre, l'auteur décrit Dieu créant les êtres, sans effort, par sa seule parole :

Dieu dit..., et il en fut ainsi.

La délibération de Dieu avec lui-même avant de créer l'homme, le récit de cette création (v. 27) et les paroles de Dieu à l'homme et à la femme révèlent, en un langage

concret, d'importantes vérités : l'*intervention particulière
de Dieu* pour la formation du premier homme et de la première femme [7], la *dignité de l'homme* placé au-dessus des
autres créatures et *créé à l'image* et à la ressemblance *de
Dieu*, le *vouloir divin* concernant la société et la fécondité
conjugales.

Enfin, la lecture de ce premier récit montre que *la création sortie des mains de Dieu est bonne :* une phrase revient comme un leitmotiv :

Dieu vit que cela était bon,

et se retrouve une dernière fois au v. 31 :

Dieu vit tout ce qu'Il avait fait : cela était très bon.

SECOND RECIT : LA CREATION ET LA CHUTE

Le second récit, plus ancien que le précédent (x^e ou ix^e
siècle avant Jésus-Christ), appartient à la tradition « yahviste » [8]. Il a pour objet essentiel la création de l'homme et
sa destinée : après avoir traité de la formation de l'homme
et de la femme et de leur condition première, il rapporte la
chute originelle et ses conséquences qui marquent l'état
actuel de l'homme et le situent dans la nécessité d'être
sauvé. « Le sujet est traité avec un sérieux, une délicatesse et une sobriété qui font de ces pages la perle de la Genèse » [9]. Le langage de l'auteur et les images qu'il emploie
ne doivent pas surprendre : il a parlé pour être compris.
L'imagerie orientale, qui donne tant de charme au récit, a

---

7. Cette intervention particulière de Dieu, qui comporte, entre autres choses, la création immédiate des âmes, n'exclut pas
la possibilité de l'utilisation par Dieu d'une manière déjà exis-
tante et vivante.

8. Le nom de cette tradition vient de ce que, dans les documents où elle est consignée, Dieu est toujours appelé « Yahweh ».

9. R.P. de Vaux, *op. cit.,* p. 43, n.d.

pour but de traduire d'une manière accessible à tous un enseignement religieux : il faut retenir celui-ci, sans donner à celle-là une importance qu'elle n'a pas.

Les principaux enseignements peuvent se répartir, suivant l'ordre du récit, en quatre groupes ayant pour objet l'homme et la femme, la chute, les conséquences du péché et la promesse du salut.

L'HOMME ET LA FEMME

Pour enseigner que *Dieu a créé l'homme et lui a donné la vie,* l'auteur, ayant observé que l'homme, après la mort, tombe en poussière et que la respiration est nécessaire à la vie, décrit Dieu modelant le premier homme avec de la glaise et soufflant dans ses narines un souffle de vie.

La *supériorité de l'homme sur les animaux* et son *rôle de chef* sont exprimés dans les versets où il est représenté nommant les animaux (v. 20) et nommant la femme (v. 23).

La *supériorité de la femme sur les animaux* est indiquée par le fait que l'homme ne trouve parmi eux aucune aide qui lui soit assortie (v. 18 et v. 20). La *dignité de la femme* vient précisément de ce qu'elle est *assortie à l'homme,* donc de même nature que lui, et *faite pour lui :* l'image de la côte exprime l'identité de nature de l'homme et de la femme et leur ordonnance réciproque. Par son enseignement, l'auteur proclame la dignité de la femme dans un monde où elle n'était pas toujours reconnue.

L'*origine divine, l'unité et le caractère permanent* du mariage découlent des versets 21-24 :

C'est pourquoi l'homme quitte son père et sa mère et s'attache à sa femme, et ils deviennent une seule chair.

Le *bonheur originel* est évoqué par l'image, si expressive pour les Orientaux, de l'oasis aux eaux abondantes.

Enfin l'*état d'innocence,* dans lequel furent créés l'homme et la femme, est exprimé par l'absence de concupiscence charnelle :

Tous deux étaient nus, l'homme et sa femme, et ils n'avaient pas honte l'un devant l'autre (v. 25).

LA CHUTE

Le tentateur est présenté sous le symbole du serpent parce que celui-ci était souvent lié aux cultes de fécondité, très répandus en Orient, qui attiraient les Israélites peu fervents et les détournaient du culte de Yahweh.

Le *premier péché* apparaît comme une *faute d'orgueil concrétisée dans une grave désobéissance à Dieu*. En effet, la connaissance du bien et du mal est « la faculté de décider soi-même ce qui est bien et mal et d'agir en conséquence » [10]. Dans la symbolique du récit, manger de l'arbre qui donne cette connaissance, contrairement au précepte divin (2, 17), représente donc « une revendication d'autonomie morale, par laquelle l'homme renie son état de créature et renverse l'ordre établi par Dieu » [11]. Cette attitude de révolte, qui est au fond de tout péché, montre la gravité de la première faute : interpréter au pied de la lettre les images de l'arbre, du fruit... ne serait pas seulement contraire au genre littéraire du récit, mais risquerait encore d'atténuer dans l'esprit du lecteur l'importance de cette faute.

LES CONSÉQUENCES DU PÉCHÉ.

Le premier effet du péché est la *cessation de l'amitié divine :* Dieu, dit l'auteur, chassa l'homme du jardin d'Eden (3, 23-24).

Parmi les autres conséquences, il faut noter :

— LA MORT :

Tu es glaise et tu retourneras à la glaise (3, 19).

---

10. *Id.*, p. 45, n.a.
11. *Ibid*.

— LA PERTE DU DON D'INTÉGRITÉ :

Leurs yeux à tous deux s'ouvrirent et ils connurent qu'ils étaient nus (3, 7).

L'éveil de la concupiscence charnelle est noté parce qu'il est « la manifestation la plus expressive du désordre que la révolte de l'homme introduisit dans l'harmonie de la création » [12].

— LA SOUFFRANCE : au lieu d'affirmer d'une manière abstraite qu'elle découle du péché, l'auteur cite les souffrances qu'il connaît (la femme enfante dans la douleur, la domination de son époux a quelque chose de pénible, le travail de l'homme a un aspect difficile...) et affirme qu'elles sont les conséquences du péché : la condition souffrante actuelle de l'homme est liée à la faute originelle. A ce propos, on se gardera de ranger le travail parmi les suites du péché : avant la chute, l'homme doit cultiver et garder le jardin d'Eden (2, 15). Seul, le côté pénible du labeur est une conséquence de la faute :

A la sueur de ton visage tu mangeras ton pain (3, 19).

LA PROMESSE DE SALUT

Une promesse de salut apporte, néanmoins, une lueur d'espérance. *Dans la lutte des hommes contre le démon,* Dieu annonce la *victoire finale de l'homme :*

> Yahweh dit au serpent :
> Je mettrai une hostilité entre toi et la femme,
> entre ton lignage et le sien.
> Il t'écrasera la tête
> et tu l'atteindras au talon (3, 15).

On a appelé cette promesse le *protévangile* parce qu'elle est l'annonce lointaine du salut à venir. Le déroulement his-

---

12. *Id.*, p. 47, n.a.

torique de sa réalisation sera le sujet des prochains chapitres.

L'UNICITE DU COUPLE ORIGINEL

L'auteur de Genèse 2-3 présente Adam et Eve comme des individus déterminés. Il y a donc lieu de se poser, à propos de la création, le problème de l'unicité du couple originel, autrement dit du monogénisme.

Il convient, d'abord, d'observer que la question du nombre des couples qui ont donné naissance au genre humain ne se pose pas de la même façon au savant et au théologien et ne se résout pas, pour eux, par les mêmes voies. Au plan *théologique,* qui est celui de la vérité révélée, les termes de l'alternative sont les suivants : monogénisme ou polygénisme. La question qui se pose est précisément celle-ci : y a-t-il *un ou plusieurs couples* à l'origine de l'humanité ? Pour y répondre, le théologien ne recourt pas à des arguments empruntés aux sciences de l'Homme, mais à la *Parole de Dieu :* c'est à la lumière de la foi qu'il se prononce. Sachant que le Dieu qui a parlé aux hommes est aussi celui qui a créé toutes choses, le théologien a la certitude qu'aucune opposition n'existera jamais entre l'affirmation authentique de la foi et les conclusions certaines de la science. Au plan *scientifique,* qui est celui de l'observation expérimentale, le problème posé n'est pas exactement le même. Le dilemme est le suivant : monophylétisme ou polyphylétisme ; autrement dit : l'humanité se rattache-t-elle à un phylum unique ou à plusieurs, à *une ou plusieurs souches humaines ?* De loin, en effet, la science ne peut saisir que des ensembles, et c'est pourquoi « le problème du monogénisme au sens strict, semble [lui] échapper, de par sa nature même » [13]. Pour résoudre la question qui se pose

---

13. Pierre Teilhard de Chardin, *Le phénomène humain,* Paris 1955, p. 206, n. 1.

à lui, le savant procède par la voie de l'*observation* et de l'*expérience*. Il ne se propose pas de fournir une preuve du monogénisme que le théologien ne lui demande pas, et il ne pourrait y avoir, entre eux, de difficulté que dans l'hypothèse où il serait établi, avec une rigoureuse certitude, que l'humanité actuelle se rattache à plusieurs souches premières et que celles-ci n'ont en commun aucun antécédent humain. Mais, du seul point de vue de la science, il paraît très difficile *a priori* que l'on puisse parvenir à réunir ces deux certitudes. Dans l'état présent des recherches, cette hypothèse n'est, du reste, nullement vérifiée ; au contraire, les résultats des travaux paléontologiques sont favorables au monophylétisme : « Si la science de l'Homme ne peut rien affirmer directement pour ou contre le monogénisme (un seul couple initial), en revanche elle se prononce décidément, semble-t-il, en faveur du monophylétisme (un seul phylum) » [14]. Comme l'écrivait récemment le R. P. Dubarle, « tout se passe comme s'il y avait assez d'indétermination dans ce que la science paléontologique peut mettre en avant pour que l'affirmation religieuse de l'existence d'un premier couple humain puisse, en même temps, se trouver soutenue sans illogisme » [15].

Ces remarques faites, comment peut-on résoudre le dilemme : monogénisme ou polygénisme ?

Si l'on considère isolément les chapitres 2-3 de la Genèse, on peut dire que, malgré le terme général employé pour désigner l'homme, l'auteur tient Adam et Eve pour des individus déterminés, non pour des collectivités. Cette constatation, toutefois, ne suffit pas à trancher définitivement la question, car l'écrivain ne s'est vraisemblablement pas posé le problème du polygénisme. On peut donc dire que son texte, tel qu'il se présente, s'entend d'un couple

---

14. *Id.*, p. 208, n. 1.
15. D. Dubarle, O.P., *Evolution et évolutionnisme*, dans *Lumière et Vie*, n. 34, p. 88. On lira avec profit tout cet article.

unique, mais que, considéré indépendamment de la tradition de l'Eglise, seule interprète infaillible de la Parole divine, il ne suffit pas à dirimer le débat.

En réalité, *pour bien poser le problème,* il ne faut pas se contenter de prendre ce texte isolément, mais on doit *envisager l'ensemble* des textes bibliques où Adam est présenté comme un individu déterminé (p. ex. : Rom 5, 12 ss.), des commentaires patristiques où Adam est tenu pour une personne concrète, et, surtout, des documents du magistère, en particulier la cinquième session du concile de Trente sur le péché originel. C'est en tenant compte de cet ensemble que le pape Pie XII, dans l'encyclique *Humani generis,* donnait l'avertissement suivant :

« Les fidèles ne peuvent embrasser une doctrine dont les tenants soutiennent, ou bien qu'il y a eu sur terre, après Adam, de vrais hommes qui ne descendent pas de lui par génération naturelle comme du premier père de tous, ou bien qu'Adam désigne l'ensemble de ces multiples premiers pères. On ne voit, en effet, aucune façon d'accorder pareille doctrine avec ce qu'enseignent les sources de la vérité révélée et ce que proposent les actes du magistère ecclésiastique, sur le péché originel, péché qui tire son origine d'un péché vraiment personnel commis par Adam, et qui, répandu en tous par la génération, se trouve en chacun et lui appartient. » (trad. *Bonne Presse.*)

La portée de ce document ne doit être ni majorée, ni diminuée. Il n'est pas une définition dogmatique du monogénisme et il doit être pris avec toutes les nuances que lui donne le Souverain Pontife. On ne saurait pour autant le réduire à n'être que l'énoncé d'une opinion théologique : c'est un acte du magistère ordinaire de l'Eglise, par lequel le pape, agissant en gardien de la foi, écarte, pour ce qui concerne les origines de l'humanité actuelle, le polygénisme. Le document montre que, si le Souverain Pontife entend maintenir l'affirmation substantielle de l'unicité du premier couple humain, c'est en raison de sa connexion avec la doctrine du caractère personnel et de la transmission du péché originel : c'est aussi ce motif de foi rappelé par le successeur de Pierre qui commande l'obéissance du croyant à cet acte du magistère. On demeure, on le voit, dans la perspective indiquée plus haut au sujet de la position du problème du monogénisme pour le théologien.

Sans aucunement attendre de la recherche théologique un changement dans l'objet de la foi, le croyant peut, d'ailleurs, légitimement espérer que, dans ce domaine des origines de l'humanité, l'approfondissement de la réflexion théologique, d'une part, et le progrès des sciences de l'Homme, d'autre part, pourront permettre de mieux situer encore, l'une par rapport à l'autre, l'affirmation théologique que l'on vient de rappeler, et le donné scientifique.

CREATION ET MYSTIQUE CHRETIENNE

En terminant la lecture des récits de création, il est utile de regrouper quelques enseignements qui commandent l'attitude de l'homme en face de Dieu et de ses semblables et qui orientent sa vision de l'histoire.

Le Dieu, unique et transcendant, *qui a créé le ciel et la terre, est le même Dieu* qui a choisi Abraham, qui s'est incarné [16], qui donne, aujourd'hui, à chaque homme la possibilité de se sauver et qui, à la fin des temps, ressuscitera les vivants et les morts : cette vérité aide à réaliser la proximité de Dieu et à percevoir la création comme un événement moins lointain.

L'homme a été *créé à l'image de Dieu :* c'est un fait dont il devra tenir compte dans les relations avec ses semblables. La mystique biblique s'écarte ainsi résolument de tout système de pensée qui ferait bon marché de la dignité de la personne humaine.

---

16. Avec cette précision, toutefois, que, seul, le Verbe s'est incarné (voir Jean 1, 14).

Œuvre de la toute-puissance divine, la création place la totalité de l'univers et l'homme, en particulier, dans une *dépendance radicale du Créateur :* l'attitude spirituelle de l'homme sera forcément marquée par le sentiment de cette dépendance absolue.

On a relevé précédemment le *caractère optimiste de la Révélation devant le monde créé :* la création sortie des mains de Dieu est bonne et l'institution du mariage est voulue par le Créateur. La révélation biblique n'a rien de commun avec les philosophies qui considèrent la matière comme mauvaise ou regardent le mariage comme une concession à la faiblesse humaine. Cet optimisme, cependant, n'est nullement béat : il suffit pour le voir de lire le récit de la chute.

Celle-ci a laissé l'homme dans un *état d'indigence par rapport au salut :* tout homme doit se rendre compte de la nécessité où il se trouve d'être sauvé et de l'impossibilité de parvenir au salut par ses seules forces.

Pour saisir dans toute leur dimension les premiers chapitres de la Bible, il faut encore voir leur aspect dynamique et les situer dans l'histoire du salut. Selon une remarque faite plus haut, la création est aussi le commencement du temps, la « mise en route » du plan divin : elle est « *le premier acte du dessein de Dieu* qui s'achèvera dans la création des nouveaux cieux et de la nouvelle terre » [17].

LECTURES

Genèse 1, 1-2, 4a.
Genèse 2, 4b-3, 24.
Psaumes 8 ; 19, 1-7 ; 104.
Job 38, 1-30.

---

17. R.P. Daniélou, *op. cit.*, p. 34

CHAPITRE TROISIÈME

ABRAHAM, LE PÈRE DU PEUPLE ÉLU

IMPORTANCE D'ABRAHAM DANS LA BIBLE

Un fait s'impose rapidement au lecteur de la Bible : l'importance exceptionnelle d'Abraham. Une simple statistique montre que ce patriarche est un des personnages le plus fréquemment cités, mais la manière dont la Bible en parle est encore plus significative. Dans sa présentation, au livre de la Genèse, deux traits soulignent l'importance d'Abraham : il a une généalogie, et Dieu change son nom. Lorsqu'un auteur biblique présente un personnage célèbre, il indique souvent quels sont ses parents, parfois quels sont ses ancêtres : en Genèse (11, 10-26), le rédacteur donne la généalogie d'Abraham, comme Matthieu et Luc le feront plus tard pour Jésus. De même, quand Dieu, dans la Bible, impose un nom à un homme ou change celui qu'il a reçu, c'est habituellement le signe d'une mission exceptionnelle : ainsi en est-il pour Jean le Baptiste [1], dont le nom signifie « Yahweh a fait grâce » et dont le rôle est précisément d'annoncer au monde le Messie ; ainsi en va-t-il pour Simon, dont Jésus change le nom en celui de Pierre, à cause de la

---

1. Luc 1, 13.

place qu'il doit occuper dans l'Eglise [2]. Or, en Genèse (17, 5),
Dieu dit à Abram :

« On ne t'appellera plus Abram, mais ton nom sera Abraham, car je te fais père d'une multitude de peuples. »

Ce changement de nom et la généalogie du patriarche in-
diquent que l'on est en présence d'un personnage exceptionnel.

Dans le Nouveau Testament, Abraham apparaît aussi
avec un relief particulier.

A la première ligne de l'Evangile, saint Matthieu dresse
la généalogie de Jésus, en commençant à Abraham :

Généalogie de Jésus-Christ, fils de David, fils d'Abraham.
Abraham engendra Isaac... [3]

Dans le *Benedictus*, Zacharie, le père de Jean-Baptiste, salue
l'aube des temps messianiques en ces termes :

Béni soit le Seigneur, le Dieu d'Israël,
de ce qu'il a visité et délivré son peuple,
... ainsi se souvient-il de son alliance sainte,
du serment qu'il a juré
à Abraham, notre père. [4]

La Vierge Marie achève le *Magnificat* sur une pensée semblable :

Mon âme exalte le Seigneur,...
Il a porté secours à Israël son serviteur,
se souvenant de sa miséricorde,
— ainsi qu'il l'avait promis à nos pères —
en faveur d'Abraham et de sa descendance à jamais ! [5]

Jésus, lui-même, n'hésite pas à décrire le Royaume de Dieu

---

2. Mt 16, 18.
3. Mt 1, 1-2.
4. Lc 1, 72-73.
5. Lc 1, 54-55.

sous l'image d'un festin où seront assis Abraham et les prophètes [6].

Dans toute la révélation biblique, Abraham apparaît donc comme un personnage très important, dont la connaissance est indispensable à l'intelligence du dessein de Dieu.

ABRAHAM, UN HOMME DANS L'HISTOIRE

Pour beaucoup de personnes, Abraham est un personnage lointain et mystérieux qui se perd dans la nuit des temps, presque un personnage de légende. Dieu, cependant, ne réalise pas son dessein de salut avec des personnages imaginaires : Abraham est un homme concret que l'on peut situer dans l'histoire.

Abraham arrive sur la terre de Canaan [7] vers 1850 avant Jésus-Christ : c'est un semi-nomade, pasteur de petit bétail, qui a habité en ville où il s'est trouvé en contact avec une population sédentaire dont il a gardé certaines coutumes. Le nom qu'il porte n'est pas inconnu : on le rencontre dans un texte du XIXe siècle. La ville d'Ur, en Chaldée, où il a demeuré, avait autrefois connu trois dynasties et exercé la souveraineté sur la Basse-Mésopotamie, avant d'être prise d'assaut en 1940 avant Jésus-Christ. Le départ de sa famille d'Ur des Chaldéens s'insère dans le cadre général des migrations de peuples du début du second millénaire. Lorsque Abraham parvient en Canaan, la construction de la plus ancienne ville bâtie sur le site de Jéricho remonte à plus de cinq mille ans, c'est-à-dire qu'il y a largement un millénaire de plus entre elle et Abraham qu'entre lui et nous. Les grandes pyramides d'Egypte (2723-2563) sont plus anciennes par rapport à Abraham que Notre-Dame de Paris par

---

6. Lc 13, 28.
7. La Palestine à l'époque où elle était occupée par une population cananéenne.

rapport à nous. La vie d'Abraham se situe, comme on le voit, en pleine période historique, et il est utile de se rendre compte que cet homme, si différent de nous par la culture et le mode de vie, a eu une psychologie, un cœur et une âme comme les nôtres.

De cet homme, la Bible n'a retenu ni l'aspect extérieur, ni les détails dont notre curiosité aurait aimé se satisfaire, mais la vocation, la promesse que Dieu lui a faite, la tâche qu'il a accomplie. Avant d'aborder les récits où elle les fait connaître, il y a lieu, pour ne pas faire d'erreur, de dire, en quelques mots, leur allure générale et leur nature.

LES RECITS DE LA GENESE CONCERNANT ABRAHAM

Les récits de la Genèse concernant Abraham sont comme des archives de famille [8].

Transmis d'abord oralement dans les clans et aux alentours des sanctuaires, répétés avec soin de génération en génération, les souvenirs sur le grand ancêtre ont, ensuite, été mis par écrit et nous sont ainsi parvenus.

A leur sujet, il faut se garder d'un double excès. Le premier consisterait à attendre de ces récits l'exactitude d'un constat d'huissier ou d'un procès-verbal : le souci d'une exactitude rigoureuse, s'étendant jusqu'au détail, est propre à l'historien moderne, et il serait injuste de l'exiger dans les récits patriarcaux. L'autre excès serait, au contraire, de sous-estimer la valeur de ces traditions. A l'époque actuelle, grâce au développement de l'imprimerie, tout ce qui a quelque valeur au plan scientifique est consigné par écrit, et la mémoire ne joue pratiquement aucun rôle dans la transmission du savoir : par le fait même, l'homme du vingtième siècle a tendance à considérer comme sans inté-

---

8. Avec cette particularité qu'il s'agit d'une famille d'où est sorti tout un peuple et d'une famille engagée dans une histoire religieuse.

rêt ce qui est transmis oralement. Il serait, cependant, injuste d'appliquer instinctivement ce jugement de valeur moderne à des documents datant d'une période où, par suite des conditions de civilisation, il ne se vérifie pas de la même manière. A l'époque patriarcale, on usait beaucoup plus de la mémoire qu'aujourd'hui, et les traditions se transmettaient sous forme de récitatifs, faciles à retenir grâce à des assonances, des mots crochets, des étymologies populaires, des jeux de mots, etc. L'objet de ces traditions incitait à les conserver avec soin, et, si leur caractère de récits populaires ne s'oppose pas à ce qu'ici ou là l'imagination ait pu broder à partir d'un souvenir réel, la substance de ce qu'elles transmettent est solidement garantie.

Certains recoupements mettent, d'ailleurs, en garde contre une dépréciation sans fondement de leur contenu. En suivant sur une carte les itinéraires d'Abraham et des patriarches, qui étaient des pasteurs, on constate qu'ils correspondent simultanément à la carte des pluies et à l'état politique du pays, alors occupé par les Cananéens [9]. Or, à l'époque où les traditions ont été rédigées, le peuple était devenu sédentaire, et les conditions politiques avaient changé. Les itinéraires des patriarches n'ont donc pas été inventés à ce moment : ils ont été transmis par une tradition fidèle. De même, certaines coutumes sociales et juridiques de la période patriarcale n'existaient plus au moment où les traditions ont été transcrites, et l'histoire de l'Ancien Orient montre qu'elles avaient des parallèles dans la législation ou les usages des peuples contemporains des patriarches. Ceci prouve qu'elles n'ont pas été imaginées après coup, mais qu'elles ont été relatées par une tradition authentique.

---

9. Sur ce point et le suivant, consulter les articles du R.P. de Vaux dans la *Revue Biblique : Les Patriarches hébreux et les découvertes modernes*, 1946, pp. 321-368; 1948, pp. 321-347; 1949, pp. 5-36.

En résumé, les pages que la Genèse consacre à Abraham sont des récits populaires et traditionnels, où l'on ne trouve pas le souci d'une objectivité s'étendant aux moindres détails et où, çà et là, une part d'affabulation a pu se greffer sur un souvenir authentique. Bien qu'ils ne procèdent pas à la façon de l'histoire moderne, ils contiennent, cependant, un portrait fidèle d'Abraham, de ses origines, de sa mission et de son attitude religieuse.

Les récits fondamentaux sont ceux de la vocation et de la promesse [10].

LA VOCATION D'ABRAHAM

Le premier récit concernant Abraham est celui de sa vocation :

Yahweh dit à Abram :

« Quitte ton pays, ta parenté et la maison de ton père pour le pays que je t'indiquerai. » [11]

Plusieurs traits caractérisent l'élection d'Abraham. Elle se présente, dès l'abord, comme un *choix dont Dieu a toute l'initiative :* l'auteur ne mentionne ni les mérites, ni les qualités d'Abraham, mais se contente d'écrire : « Yahweh dit à Abram » ; une seule chose l'intéresse, en effet : c'est Dieu qui a choisi l'homme qu'il a voulu. L'*appel* divin est *exigeant :* pour y répondre, Abraham doit s'expatrier, rompre des relations de famille et partir pour un pays inconnu. Le sacrifice ne sera pas inutile, car la *vocation* d'Abraham est *ordonnée à la réalisation du dessein de Dieu.* Yahweh l'appelle à devenir le père d'un grand peuple et à être l'objet d'une bénédiction qui rejaillira sur toutes les nations de la terre :

---

10. Gen. 12, 1-9 et 15, 1-20.
11. Gen. 12, 1.

Je ferai de toi un grand peuple, je te bénirai, je magnifierai
   ton nom, qui servira de bénédiction.
Je bénirai ceux qui te béniront,
   je réprouverai ceux qui te maudiront.
Par toi se béniront
   toutes les nations de la terre [12].

   « Dans le choix d'un seul, le Dieu d'Israël a en vue le
salut de tous [13]. »

   Si la vocation d'Abraham est ordonnée à la réalisation du
plan divin, l'existence du peuple élu est liée à sa réponse.
Abraham obéit :

Abram partit, comme lui avait dit Yahweh [14].

   C'est le départ vers l'inconnu, sans autre sécurité que la
parole de Dieu : l'obéissance à son appel est la *réponse de
la foi*.

   C'est par la foi, écrira l'auteur de l'épître aux Hébreux,
qu'obéissant à l'appel divin, Abraham partit pour un pays qu'il
devait recevoir en héritage, et il partit sans savoir où il allait [15].

   L'Ancien Testament, comme, plus tard, le Nouveau, commence par un acte de foi.

LA PROMESSE

   Le récit de la promesse (Gen. 15, 1-20) complète celui de
la vocation. Abraham est en Canaan, et les assurances divines n'ont pas encore reçu leur réalisation : Yahweh renouvelle sa promesse et la scelle par un sacrifice d'alliance.

   La promesse porte sur deux points : Abraham sera le
père d'un peuple nombreux, et Dieu donnera le pays à sa

---

12. Gen. 12, 2-3.
13. Luc H. Grollenberg, O.P., *Atlas de la Bible,* Paris 1955,
p. 28 ; phrase dite au sujet du peuple.
14. Gen. 12, 4.
15. Hébr. 11, 8 (trad. Osty).

postérité. Bien qu'il n'ait pas d'enfant et soit, humainement parlant, incapable d'en avoir, à cause de son âge [16],
Abraham deviendra le père de tout un peuple :

Lève les yeux au ciel et dénombre les étoiles si tu peux les
dénombrer...
Telle sera ta postérité [17].

Au chapitre 17, récit de la tradition « sacerdotale » parallèle à celui-ci, le nom d'Abraham est expliqué par asso-
nance avec *ab hâmôn*, père de multitude :

Ton nom sera Abraham, car je te fais père d'une multitude de
peuples [18].

Pour suivre l'appel divin, Abraham avait abandonné sa
patrie ; Dieu lui promet de donner *la terre* de Canaan *au
peuple qui naîtra de lui :*

A ta postérité je donne ce pays,
du Torrent d'Egypte jusqu'au Grand-Fleuve, le fleuve d'Euphrate [19].

En lisant l'histoire d'Abraham, on remarquera l'importance que l'auteur accorde à l'achat du champ et de la grotte
de Macpéla : il voit les prémices de la réalisation de la promesse dans ce premier droit de propriété acquis par le
patriarche [20].

A la promesse divine, irréalisable du point de vue humain, Abraham *répond* de nouveau *par la foi :*

Abraham crut en Yahweh, qui le lui compta comme justice [21].

---

16. Gen. **15**, 2 : « Je m'en vais sans enfant... » ; Gen. **17**, 1 :
« L'orsqu'Abraham eut atteint quatre-vingt-dix-neuf ans, Yahweh
lui apparut... »
17. Gen. **15**, 5.
18. Gen. **17**, 5 et la note du R.P. de Vaux, *La Genèse*, p. 87.
19. Gen. **15**, 18.
20. Gen. **23**.
21. Gen. **15**, 6.

La scène se conclut par une alliance. Dieu s'adresse à Abraham comme celui-ci pouvait comprendre : Il scelle sa promesse par un vieux rite d'alliance. Après avoir pris un engagement, les contractants immolaient des animaux, les partageaient par le milieu et plaçaient chaque moitié vis-à-vis de l'autre, puis ils passaient entre les chairs sanglantes, appelant sur eux un sort semblable à celui des victimes, s'ils venaient à violer leur promesse. La description respecte la transcendance divine : Dieu se manifeste sous le symbole du feu, et Abraham ne le voit qu'en songe.

Quand le soleil fut couché et que les ténèbres s'étendirent, voici qu'un four fumant et un brandon de feu passèrent entre les animaux partagés [22].

Dieu seul passe entre les victimes, parce qu'Il est seul à s'engager et fait à Abraham une promesse sans contrepartie.

ATTITUDES DE DIEU ET DE L'HOMME

Le choix d'Abraham comme père du peuple élu est, après la faute, la première étape de réalisation du salut. Il est, en même temps, révélateur de la manière dont Dieu agit pour sauver l'homme et de la réponse qu'Il en attend : dès Abraham, l'histoire biblique est un enseignement, par les faits, de l'attitude de Dieu et de l'homme.

Dieu ne se conduit pas selon les normes d'une sagesse purement humaine. Il choisit qui il veut et a l'initiative de son choix : élection d'Abraham, choix d'Isaac et non d'Ismaël [23], par la suite choix de Jacob et non d'Esaü [24]. La manière dont Il conduit ses promesses vers leur réalisation a quelque chose de déroutant pour la sagesse de l'homme et

---

22. Gen. 15, 17.
23. Gen. 17, 15-22.
24. Gen. 25, 23.

oblige celui-ci à se confier en Dieu : Abraham part vers l'inconnu pour suivre l'appel qui lui est adressé ; — Dieu lui promet une nombreuse postérité alors qu'il est sans enfant et trop âgé pour en avoir — Abraham a un fils de son esclave Agar, mais ce ne sera pas lui l'enfant de la promesse [25] — Dieu lui accorde d'avoir un enfant de Sara, sa femme, qui était stérile : Isaac ; sur lui reposera la promesse [26] ; Isaac grandit, et voici que Dieu demande à Abraham de sacrifier ce fils qui est le seul espoir de voir se réaliser cette promesse [27].

La voie par laquelle Dieu mène *Abraham* a beau être déconcertante et sembler souvent sans issue, celui-ci garde l'attitude qu'il a adoptée dès qu'il a entendu l'appel divin : celle d'une *foi totale* et inconditionnée et d'une *obéissance héroïque* à ce que Dieu demande de lui. C'est la réponse que Dieu attend de celui qu'Il appelle à collaborer à son dessein.

ABRAHAM, L'AMI DE DIEU

Parce que la vocation est toujours un signe de l'amour de Dieu et qu'il a cru à la promesse divine, Abraham est l'ami de Dieu. La Genèse l'exprime d'une façon très jolie dans le récit de l'apparition de Mambré : trois visiteurs mystérieux viennent trouver Abraham et mangent sous sa tente, l'un d'eux est Yahweh [28]. Plus loin, dans une image hardie, l'auteur montre Yahweh se demandant s'il va punir Sodome, la ville pécheresse, sans en parler à Abraham :

---

25. Voir note 23.
26. Gen. 17, 21.
27. Gen. 22. Ce récit comporte deux leçons : Dieu entend faire comprendre aux Israélites qu'Il ne veut pas de sacrifices d'enfants, fréquents chez les Cananéens, et qu'Il demande surtout l'obéissance dans la foi, dont Abraham est un exemple. Voir J. Chaine, *Le livre de la Genèse*, pp. 270-275.
28. Gen. 18, 1-15.

Vais-je cacher à Abraham ce que je vais faire, alors qu'Abraham deviendra un grand peuple et que par lui se béniront toutes les nations de la terre [29] ?

Après le second Isaïe et Daniel, saint Jacques reprendra le titre qui traduit l'intimité d'Abraham avec Dieu :

Abraham crut à Dieu, et cela lui fut compté comme justice et il fut appelé ami de Dieu [30].

Aujourd'hui encore, à quelques kilomètres d'Hébron, à Mambré, où Abraham planta ses tentes, les Arabes appellent la colline le Ramet El-Khâlil, la « hauteur de l'Ami » : pour les juifs, les chrétiens et les musulmans, Abraham est l'Ami de Dieu.

ABRAHAM ET NOUS

Telle est la grande figure d'Abraham, à l'origine du peuple de Dieu. Il est celui que Yahweh a choisi pour devenir le père du peuple où s'incarnerait son Fils ; il est celui auquel le Seigneur a promis une bénédiction qui rejaillirait sur toutes les nations : promesse qui se réalise en Jésus-Christ et atteint tous les croyants ; il est encore l'ancêtre dont la foi et l'obéissance sont comme une loi vivante, non seulement pour les Israélites de l'Ancien Testament, mais aussi pour les Chrétiens qui constituent le nouvel Israël.

Quand on a saisi la place d'Abraham dans le plan divin, on se prend à aimer certaines formules de la liturgie, qui, jusque-là, paraissaient vieillottes : on comprend pourquoi, dans le baptême des adultes et dans la bénédiction des époux à la messe de mariage, le prêtre invoque le Dieu d'Abraham, d'Isaac et de Jacob ; on ne s'étonne plus de le voir, au cours de la Messe, demander à Dieu d'accepter son

---

29. Gen. 18, 17-18.
30. Jac. 2, 23 ; Is. 41, 8 ; Dan. 3, 35.

sacrifice comme Il a accepté celui d'Abraham ; on reprend, avec une foi plus éclairée, la prière de la Messe des défunts

« Seigneur, faites-les passer de la mort à la vie que, jadis, vous avez promise à Abraham et à ses descendants [31]. »

La connaissance d'Abraham ne présente pas seulement un intérêt liturgique. Le chrétien qui a pris conscience de son appartenance spirituelle à la postérité d'Abraham et de son insertion personnelle dans le plan de salut que Dieu mettait à exécution en appelant le patriarche, se sent solidaire de celui-ci et engagé à sa suite dans le chemin de la foi, de l'obéissance et de l'appui en Dieu seul.

LECTURES

Genèse 12-24 (particulièrement 12, 1-9 ; 15 ; 17 ; 18 ; 22).
Ecclésiastique 44, 19-23.
Jean 8, 52-58.
Galates 3, 6-9 et Romains 4.
Hébreux 11, 8-19.

---

31. Offertoire de la messe des morts.

Chapitre quatrième

LIEUX ET DATES DE L'HISTOIRE BIBLIQUE

L'intervention de Dieu pour réaliser le dessein de salut s'inscrit, dans l'espace et le temps, au cœur même de l'histoire du monde : c'est un fait dont le lecteur de la Bible ne peut manquer de tenir compte s'il veut saisir la dimension et les résonances humaines du message divin.

LE PAYS BIBLIQUE

Quand on parle du « pays biblique », on désigne ordinairement le territoire où se sont déroulés les principaux événements de l'histoire d'Israël, la vie et le ministère de Jésus et la toute première activité de l'Eglise. Si les limites de ce pays ont varié au cours des siècles, on peut, néanmoins, retenir comme cadre général les délimitations suivantes : au nord les extrémités méridionales du Liban et de l'Anti-Liban, à l'ouest la Méditerranée, au sud l'extrémité septentrionale de la péninsule sinaïtique, à l'est le plateau du Hamad ou steppe syrienne [1]. Le relief est très varié : le voyageur qui aborde à l'ouest parcourt une assez large plaine côtière, puis il gravit la chaîne de montagnes qui traverse le pays du nord au sud et en constitue comme l'épine dorsale (monts de Galilée, monts de Samarie, monts

---

[1]. Pour plus de détails, consulter Mgr Legendre, *Le pays biblique,* Paris 1928, ou F.-M. Abel, *Géographie de la Palestine,* 2 vol., Paris 1933 et 1938.

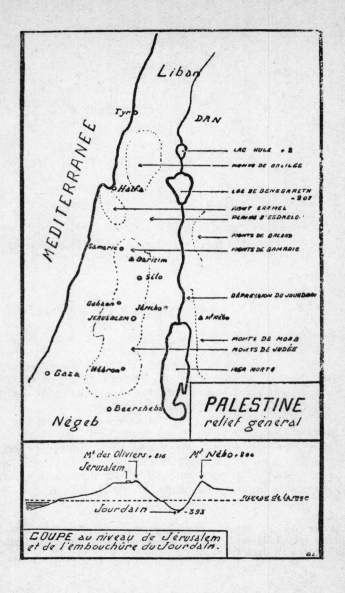

Libon

Tyr o

DAN

MEDITERRANEE

LAC HULE + 2

MONTS DE GALILÉE

o Haïfa

LAC DE GENESARETH - 208

MONT CARMEL

PLAINE D'ESDRELO

MONTS DE GALAAD

Samarie o

o Garizim

MONTS DE SAMARIE

o Silo

Gabaon o

Jéricho o

DÉPRESSION DU JOURDAIN

JERUSALEM o

o M.Nébo

MONTS DE MOAB

MONTS DE JUDÉE

o Gaza

Hébron o

MER MORTE

o Beersheba

PALESTINE
relief général

Négeb

M.t des Oliviers . 816

M.t Nébo . 806

Jérusalem

niveau de la mer

Jourdain ____ -393

COUPE au niveau de Jérusalem
et de l'embouchure du Jourdain.

G.L.

de Judée). Cette chaîne, où se trouvaient les anciens sanctuaires, Silo, Béthel, Gabaôn, et la capitale, Jérusalem, est
élevée, spécialement en Judée : au mont des Oliviers l'alti-
tude est de 816 mètres, à Hébron de 925. On redescend
ensuite rapidement jusqu'à la vallée du Jourdain : celui-ci
coule au fond d'une large faille nord-sud où il traverse le
lac Hulé (+ 2 m), le lac de Tibériade (— 212 m), et se jette
dans la mer Morte (— 393 m). Après la faille du Jourdain,
le niveau remonte très vite jusqu'au plateau de Transjor-
danie (monts de Galaad, mont Nébo (806 m), monts de
Moab). On aura une idée d'ensemble de la configuration
du pays si l'on complète cette vue transversale en obser-
vant que, à la hauteur de Haïfa, la plaine côtière et l'arête
montagneuse sont coupées, dans le sens nord-ouest sud-est,
par la montagne du Carmel et la plaine d'Esdrelon.

Un séjour en Terre Sainte aide à comprendre beaucoup
de détails bibliques : il suffit d'avoir fait la route Jérusalem-
Jéricho pour ne jamais oublier l'expression de la parabole :
« Un homme *descendait* de Jérusalem à Jéricho » [2], d'avoir
marché quelques heures, en été, dans les *wadis* du désert
de Juda pour saisir la valeur de symboles comme l'eau vive
ou l'herbe fraîche pour traduire les bienfaits divins [3], d'avoir
vu le sol pierreux de Palestine et les tours de garde dans les
champs pour qu'un oracle comme celui de la vigne appa-
raisse avec son caractère concret :

> Mon bien-aimé avait une vigne,
> sur un coteau fertile.
> Il en remua le sol, il en ôta les pierres,
> il la planta de ceps exquis.
> Il bâtit une tour au milieu,
> et y creusa aussi un pressoir.
> Il attendait qu'elle donnât des raisins,
> mais elle donna du verjus [4].

---

2. Luc **10**, 30.
3. Ps. **23**, 2.
4. Is. **5**, 1-2.

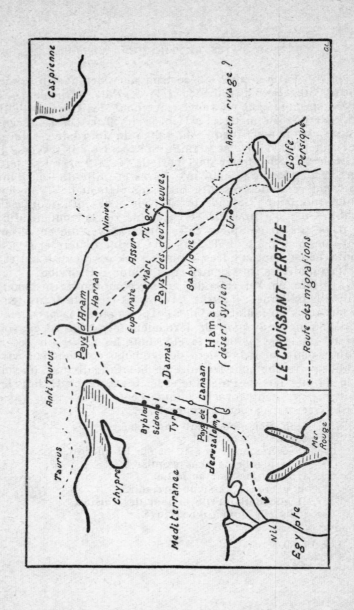

LE CROISSANT FERTILE

---- Route des migrations

A défaut d'une connaissance personnelle du pays, facilitée de nos jours par la fréquence des pèlerinages, il est très utile de se familiariser avec les horizons bibliques à l'aide des ouvrages abondamment illustrés qui concernent la Terre Sainte [5].

LA PALESTINE, CENTRE DU CROISSANT FERTILE

Cette terre se situe au centre du « croissant fertile », constitué par la vallée et le delta du Nil, la bande côtière de la Méditerranée et les plaines alluviales du Tigre et de l'Euphrate. Les pérégrinations des patriarches et l'histoire du peuple de Dieu jusqu'au Christ se passent dans le croissant fertile : Abraham va d'Ur à Haran et pénètre en Canaan, ses descendants gagnent l'Egypte, reviennent en Canaan, où ils s'établissent, sont emmenés en exil à Babylone, puis retournent en Palestine.

La situation géographique d'Israël aide à comprendre son histoire : au milieu du croissant fertile, la Palestine est le chemin naturel entre l'Egypte, « la bête des roseaux » [6], et la Mésopotamie ou pays situé entre les deux fleuves, le Tigre et l'Euphrate ; ceci explique pourquoi Israël a dû tracer sa voie au milieu des fluctuations politiques de l'Egypte et de l'Assyrie, tout en ayant parfois à lutter contre des peuples voisins de moindre importance comme la Syrie, Edom ou Moab.

LA BIBLE ET L'HISTOIRE GENERALE DE L'ANCIEN ORIENT

La Bible raconte l'histoire du peuple élu dans un but re-

---

5. Par exemple, du R.P. Grollenberg déjà cité : *Atlas de la Bible,* et Michel Join-Lambert, *Jérusalem*, Paris 1957. M. Leconte et Daniel Rops ont aussi publié des ouvrages utiles en ce domaine.

6. Ps. 68, 31.

ligieux. Tantôt elle passe sous silence le cadre d'histoire générale où se situent les événements qu'elle rapporte : ainsi pour Abraham, elle ne retient que l'essentiel, sa vocation par Dieu — faute de connaître le contexte historique et culturel, on a parfois conclu trop vite à la non-authenticité de certains faits —. Tantôt la Bible fait état des relations d'Israël avec les peuples voisins : ambassade de Mérodach Baladan, roi de Babylone, à Ezéchias, roi de Juda ; ambassade d'Ezéchias à l'Egypte [7]. L'arrière-plan d'histoire profane aide à prendre conscience de la réalité concrète et de l'enracinement historique du peuple de Dieu. On sait, par exemple, qu'un flot de Hyksôs, venant de Palestine, s'installe, vers 1720, dans le delta du Nil et domine le pays jusque vers 1570 : les Pharaons des 15e et 16e dynasties sont des Hyksôs. La venue et l'installation de la famille de Jacob en Egypte se relient vraisemblablement à la domination des Hyksôs, peuple en majorité sémitique, et la promotion de Joseph, un sémite, à un haut poste de fonctionnaire est concevable sous un pharaon sémite. Aux xiie et xie siècles, un grand calme règne dans le Proche-Orient : l'Egypte est épuisée par la lutte contre les « peuples de la mer », l'Assyrie est affaiblie et, après la chute de l'empire hittite, aucun pouvoir important ne s'est établi en Asie Mineure : le climat est favorable à la création d'un Etat israélite. En outre, les tentatives d'expansion des philistins, de la plaine côtière vers la montagne, poussent les Israélites, qui constituaient jusqu'alors une sorte de fédération de tribus, à s'unir autour d'un roi. Il est intéressant de connaître ces données en abordant les livres de Samuel. Plus tard, en 538, l'édit de Cyrus autorise les Juifs, captifs à Babylone, à rentrer dans leur pays, ordonne la reconstruction du Temple aux frais du Trésor et la restitution des vases sacrés pris à Jérusalem : pareille mesure surprend le lec-

---

7. Is. **39** et **30**.

teur du livre d'Esdras, mais l'histoire profane lui apprend
que Cyrus a traité de la même façon les autres peuples
soumis par les Chaldéens [8]. La connaissance du contexte
historique général et du conditionnement humain du peuple de Dieu permettent de mieux comprendre l'histoire d'Israël et, par le fait même, de mieux voir la pédagogie de
Dieu à son égard et ce qui fait la transcendance de la
Révélation.

LES GRANDES DATES DE L'HISTOIRE BIBLIQUE

L'histoire de l'Ancien Testament est rapportée dans les
livres historiques, mais les oracles des prophètes et l'activité des sages ont aussi leur place dans cette histoire. De
même, les épîtres et l'Apocalypse complètent ce que les
Evangiles et les Actes des Apôtres font connaître de l'Alliance Nouvelle. Les divers écrits bibliques se rattachent à
une même histoire dont ils fournissent des aspects complémentaires. S'il ne veut pas être désorienté en passant d'un
livre à l'autre, le lecteur de la Bible doit réaliser quels
sont les moments-clés de l'histoire du salut. Le tableau ci-
joint rappelle la succession des principales étapes du dessein de Dieu et de la destinée d'Israël. Chacune a son sens
particulier et son rôle religieux dans le plan divin, se situe
dans une histoire concrète et se trouve marquée par des
personnages importants, Abraham, Moïse, David... De l'ensemble une leçon se dégage, celle de la continuité du dessein selon lequel Dieu sauve le monde réel en se servant
des hommes et en insérant dans l'histoire la réalité du
salut.

---

8. Voir, à propos de ces trois exemples, Grollenberg, *op. cit.*,
pp. 40, 64 et 100.

LES GRANDES DATES DE L'HISTOIRE BIBLIQUE[9]

La création

Le peuple de l'Ancienne Alliance

Les patriarches

L'exode

L'entrée en Terre Promise

Dates	Personnages	Evénements	Situation dans l'histoire du salut	Histoire du Proche-Orient
			Les ancêtres du peuple de Dieu	
vers 1850	Abraham en Canaan — Le père du peuple élu		L'Election	
			La Promesse	
	Isaac			Hammourabi 1728-1686 ro
	Jacob : ses fils sont les ancêtres des tribus d'Israël			Vers 1720, les Hyksôs s'installent dans le delta du Nil.
vers 1700	Joseph en Egypte	Les Hébreux en Egypte		
entre 1250 et 1214	Moïse	La libération du joug égyptien. L'Alliance du Sinaï	Formation du *peuple* comme peuple. Consécration de l'élection : Israël, *peuple de Yahweh.*	
vers 1200	Josué	Passage du Jourdain : conquête et partage du pays	Entrée en Terre Promise	Aux XIIe et XIe siècles, calme politique au Proche-Orient (Egypte et Assyrie affaiblies).
	les Juges, libérateurs suscités par Yahweh.	Période de transition vers la monarchie : les tribus vivent en une sorte de fédération.		
vers 1060	Samuel, juge et prophète, (naissance de)			Essais d'expansion philistine de la plaine vers la montagne.

9. On trouvera un tableau chronologique plus détaillé dans les *Cahiers de la Ligue Catholique de l'Evangile*, n. 4, pp. 46-63, et dans la Bible de Jérusalem, pp. 1641-1657. Sur les problèmes de chronologie biblique, on lira avec profit l'article de H. Cazelles, *Chronologie biblique*, dans l'encyclopédie *Catholicisme*, II, col. 1104-1112.

La royauté théocratique

Date / Roi	Événements	
Saül	Monarchie théocratique (autorité du prophète sur le roi — roi chef politique et religieux)	La royauté en Israël
vers 1010 — David	Centralisation. Prise de Jérusalem par David	Jérusalem, capitale politique et religieuse
	La promesse se précise en faveur de la descendance de David	Le Messie fils de David
vers 970 — Salomon	Construction du Temple	Le Temple
	Fléchissement religieux (femmes étrangères) crise sociale (inégalités choquantes, impôts, corvées) mécontentement des tribus du Nord	
932	Mort de Salomon	

Le Schisme

Date / Roi	Événements	
vers 930	Schisme religieux et politique : sanctuaire, capitale, dynastie. Royaume de Juda — Royaume d'Israël	Schisme
	Roboam, ... Jéroboam, ...	
850 — Elie, Elisée		Le Prophétisme
vers 750 — Amos, Osée		
Isaïe, Michée		745 Téglat Phalassar, roi d'Assyrie. Campagnes contre l'Ouest et, en 732, contre Israël. Salmanasar V
721	Prise de Samarie et déportation des grands	Sargon II — fin du royaume du Nord

Date	Personnages	Événements	Signification religieuse	Événements extérieurs
622	Josias, Sophonie, Jérémie, Nahum,		Découverte du « livre de la Loi » et réforme religieuse.	612 prise de Ninive par les Chaldéens.
598	Sédécias			
587		Prise de Jérusalem et déportation	Fin du Royaume de Juda.	Nabuchodonosor.
587-538		**L'exil**	Renouveau religieux au sein de l'épreuve : Examen de conscience, Prise de conscience de la mission d'Israël, Intériorisation de la piété. La Nation devient une communauté religieuse.	
	Ezéchiel, gardien de la foi et animateur de l'espérance Second Isaïe (livre de la consolation)			
538-333		**Le Retour** / **Domination perse**		
538	Cyrus	Edit de Cyrus	Province de Judée rétablie sur une base théocratique (fondement : la Loi. Séparation des païens).	539 Cyrus prend Babylone : fin du règne des Chaldéens, avènement de l'Empire perse.
520-515	Zorobabel	Reconstruction du Temple		
458 (?)	Esdras			
445	Néhémie	Relèvement des murs de Jérusalem		
333-142		**Domination grecque** / La Judée soumise aux Lagides puis aux Séleucides	Judaïsme.	333 bataille d'Issos — Alexandre détruit l'Empire perse.

167	Antiochus Epiphane veut helléniser de force des Juifs — persécutions.	Résistance à l'hellénisme, Lutte pour la liberté religieuse.
142-63	Epopée macchabéenne	

Indépendance de la Judée

134	Jean Hyrcan, fondateur de la dynastie asmonéenne qui se montrera favorable à l'hellénisme et aux sadducéens ; formation de la secte pharisienne, opposée à toute compromission avec le paganisme.	Réveil des aspirations messianiques et nationales.

Domination romaine

63 av.-135 après J.-C.		
63	Pompée prend Jérusalem	Nationalisme religieux, Purification de l'espérance des pauvres.
37 av.	Hérode le Grand	

Le Christ

7 av. notre ère *Jésus*	Naissance à Bethléem Prédication de Jean le Baptiste Ministère public de Jésus	Incarnation.
30 de notre ère	Mort et Résurrection de Jésus	Rédemption.

L'Église, peuple de l'Alliance Nouvelle

30	La Pentecôte : départ missionnaire de l'Eglise à laquelle Jésus envoie l'Esprit-Saint	
70	Titus prend Jérusalem et détruit le Temple	Croissance de l'Eglise, Corps du Christ.

Le Retour du Christ

		Achèvement du dessein de Dieu.

CHAPITRE CINQUIÈME

MOISE ET L'EXODE

LES HEBREUX AU PAYS D'EGYPTE

Après Abraham, père du peuple élu, Isaac et Jacob deviennent, successivement, les dépositaires des promesses divines. Comme lui, ces patriarches mènent en Canaan l'existence semi-nomade des pasteurs de petit bétail aux déplacements saisonniers, jusqu'au jour où, poussés par la famine, les fils de Jacob, et Jacob lui-même, descendent au pays d'Egypte et s'y installent. L'arrivée de la famille de Jacob en Egypte se relie, comme on l'a vu, aux migrations de peuples qui, vers 1720, amenèrent en ce pays des étrangers d'origine sémitique, les Hyksôs. Ceux-ci, après avoir longtemps dominé le pays, seront expulsés du trône égyptien, mais des éléments sémites, parmi lesquels le petit groupe des Hébreux, demeureront dans le delta du Nil.

La Bible, qui rapporte une histoire religieuse, passe sous silence la plus grande partie du séjour des Hébreux en Egypte : pendant plusieurs siècles, aucune intervention éclatante de Yahweh ne s'est produite en faveur des descendants de Jacob, aucune révélation nouvelle n'est venue enrichir leur patrimoine spirituel. Aussi, après avoir rappelé la venue de la famille de Jacob en Egypte, la Bible décrit-elle immédiatement l'oppression des Hébreux.

Les Egyptiens contraignirent les enfants d'Israël au travail et leur rendirent la vie insupportable par de rudes labeurs : préparation de l'argile, moulage des briques, travaux divers dans la campagne ; bref par tous les travaux auxquels ils les contraignaient [1].

Les Hébreux, devenus nombreux, connaissent maintenant l'oppression, sous Séthi 1er (1310-1290) et Ramsès II (1290-1224), et sont astreints à de durs travaux, dont certaines peintures permettent de se faire une idée — par exemple les fresques de la tombe de Rekhmarê (xve siècle) qui représentent des esclaves fabriquant des briques [2]. Le temps est venu où Dieu, fidèle à ses promesses, va délivrer les descendants d'Abraham et faire alliance avec eux, réalisant ainsi une étape importante dans l'exécution du dessein de salut.

MOISE

L'homme qui domine toute cette période est Moïse, « personnage-clef » [3] de l'Ancienne Alliance. Du point de vue formation humaine, son éducation soignée, le spectacle qu'il a eu de la liturgie et des temples égyptiens, les contacts avec son beau-père, Jéthro, prêtre d'un sanctuaire madianite, l'ont providentiellement préparé à son rôle de libérateur, de législateur et de chef religieux d'Israël.

La Bible a conservé le souvenir de sa vocation dans l'épisode du buisson ardent [4]. Dieu appelle Moïse à une tâche qui va l'absorber tout entier et exiger de lui une foi totale et inconditionnée. Il se révèle à Moïse comme Yahweh, le Dieu de ses pères :

Tu parleras ainsi aux enfants d'Israël : Yahweh, le Dieu de vos pères, le Dieu d'Abraham, le Dieu d'Isaac et le Dieu de

---

1. Ex. 1, 13-14.
2. Bonne reproduction dans Luc H. Grollenberg, *op. cit.*, p. 46.
3. A. Gelin, *Moïse dans l'Ancien Testament*, dans *Moïse, l'homme de l'Alliance*. Tournai, 1955, p. 29.
4. Ex. 3, 1-4, 17.

Jacob, m'a envoyé vers vous. C'est le nom que je porterai à jamais, sous lequel m'invoqueront les générations futures [5].

Quelle que soit la manière dont on explique le nom de Yahweh [6] et quoi qu'il en soit d'une utilisation prémosaïque, ce nom et le contexte de révélation où il s'inscrit expriment la grandeur unique de Dieu et son intervention personnelle en faveur d'Israël.

Yahweh appelle Moïse à délivrer le peuple de la main des Egyptiens et à le faire monter vers la Terre Promise :

Va, je t'envoie auprès de Pharaon pour faire sortir d'Egypte mon peuple, les enfants d'Israël [7].

Dans l'accomplissement de sa mission, Moïse n'aura pas à s'appuyer sur lui-même : Yahweh sera avec lui comme il l'a été avec Abraham, Isaac et Jacob :

Moïse dit à Dieu : « Qui suis-je, pour aller trouver Pharaon et pour faire sortir d'Egypte les enfants d'Israël ? » Dieu dit : « Je serai avec toi... [8] ».

Confiant en la parole de Yahweh, Moïse quitte la terre de Madian, où il s'était réfugié, et reprend le chemin de l'Egypte [9]. Deux événements complémentaires marqueront sa carrière d'envoyé de Dieu et constituent l'essentiel du livre de l'Exode : la sortie d'Egypte et l'Alliance du Sinaï. Toutefois, avant de lire les récits qui s'y rapportent, il faut examiner brièvement quelle est leur valeur historique.

LES RECITS DE LA SORTIE D'EGYPTE ET L'HISTOIRE

Les récits de la sortie d'Egypte se relient tous à l'inter-

---

5. Ex. 3, 15.
6. Celui qui est, Celui qui fait être, Celui que Je suis (c'est-à-dire : l'homme n'a pas à connaître mon nom).
7. Ex. 3, 10.
8. Ex. 3, 11-12.
9. Ex. 4, 18 ss.

vention de Dieu libérant Israël. Avant même de voir les
principes qui permettent d'apprécier leur valeur historique,
il y a lieu de noter que l'intervention de Dieu ne se manifeste pas toujours par des prodiges, mais peut se révéler à travers un ensemble de circonstances tellement pro-
videntielles que le doigt de Dieu y apparaît. De plus, il
arrive que la Bible, pour mieux laisser voir l'intervention
de Dieu, passe sous silence les intermédiaires dont Il s'est
servi pour accomplir ses desseins : quand *l'Ange de Yahweh* frappe l'armée de Sennachérib, il ne le fait pas directement, mais, probablement, par une peste qui décime
brusquement l'armée assyrienne et sauve Jérusalem [10]. La
même manière de présenter l'action divine se rencontre
en plus d'une page de l'Exode : la couleur locale de certaines plaies (grenouilles, moustiques, grêles, sauterelles,
ténèbres-khamsin) suggère que l'on est en présence de
calamités locales portées à un degré inaccoutumé et montre
que Yahweh « s'est servi au maximum des causes secon-
des [11] ». Il y a là une indication précieuse pour la façon de
se représenter ce qu'ont été, en plus d'un cas, les interventions de Yahweh.

Les récits de l'Exode, comme ceux qui concernent Abraham, ont été transmis par des traditions orales, puis écrites,
et ce qui vaut des récits sur Abraham vaut aussi des récits de l'Exode : il ne faut ni leur demander l'exactitude
d'un procès-verbal, ni leur refuser la fidélité substantielle
aux événements qu'ils célèbrent.

Le livre de l'Exode contient *les souvenirs des grands
événements qui ont marqué les débuts de l'histoire d'Israël :* le mode de transmission de ces souvenirs, leur importance pour la vie du peuple, l'écho qu'ils trouvaient dans
l'âme et la liturgie d'Israël, le désir de laisser apparaître

---

10. 2 Rois 19, 35-36.
11. H. Lusseau, *Moïse et l'histoire,* dans *Bulletin des Facultés
Catholiques de l'Ouest,* avril 1954, p. 40.

l'action de Dieu ont contribué à donner aux récits l'allure
d'une épopée religieuse, d'un geste héroïque, passionnante
et haute en couleur (remarquer la présentation des plaies
selon un même schéma, la multiplication des interventions immédiates de Yahweh, les détails merveilleux dont
est auréolée l'histoire, le caractère poétique de certaines
pages). Le genre littéraire de ces récits autorise donc une
réelle latitude dans leur interprétation historique.

Mais, *à la base de ces récits*, il y a tout ce qui constitue
l'essentiel de l'Exode et *sans lequel l'histoire d'Israël devient incompréhensible* [12]. « Sous l'accumulation des immédiates interventions de Yahweh, sous la floraison des détails descriptifs, sous l'évidente majoration des situations
et des mises en scène, il y a des faits indubitables. Dé-
cantés de toutes les superfétations qui leur composent une
physionomie si colorée, ils subsistent. Réunis en un fais-
ceau, ils constituent un événement *d'une portée immense*.
Un peuple soumis depuis de longues décades à un servage
avilissant s'est soudainement dégagé des entraves qui lui
avaient arraché toute espérance d'émancipation. Une race
qui s'était compromise par des alliances avec l'étranger, qui
s'était liquéfiée dans une promiscuité séculaire avec des éléments de qualité douteuse, retrouve l'idéal de pureté eth-
nique de ses grands ancêtres. Une communauté qui s'était
laissé dévier de son monothéisme primitif et fréquentait
les sanctuaires égyptiens s'engage envers le seul vrai Dieu

---

12. « Si l'on nie la réalité historique de ces faits (sortie
d'Egypte, expérience religieuse du Sinaï, établissement de la
Loi et du culte) et de la personne de Moïse (libérateur, guide et
législateur choisi par Dieu), on rend inexplicables la suite de
l'histoire d'Israël, sa fidélité au Yahvisme, son attachement
à la loi de Moïse. » (B. Couroyer. O.P., *L'Exode,* Paris, 1952,
p. 10.) Réflexion dans le même sens de H. Cazelles, *Moïse,* D.B.S.
V, col. 1318. Cet article montre le bien-fondé et le sens de la
remarque de M. Gelin : « Un peu de science historique éloigne
de Moïse, beaucoup y ramène. », *art. cit,* p. 30.

dans un acte de religion collectif et reçoit une législation civile et religieuse totalement subordonnée au service de Yahweh. Ce peuple réussit à se frayer une route, malgré des obstacles qui ne peuvent être sous-estimés, jusqu'aux frontières de Canaan, qu'il franchira d'ailleurs allégrement. Et tout cela s'opère sous la conduite d'un homme qui se donne comme le mandataire de Yahweh et qui assume victorieusement la plus lourde des responsabilités. Cet événement, pris en lui-même, dépouillé de toutes les possibles affabulations, qui trouvent d'ailleurs en lui leurs propres explications, n'est-il pas marqué au coin d'une intervention miraculeuse de Yahweh ? Voilà le grand miracle, analogue à celui de l'implantation de l'Evangile, de la conversion de saint Paul, de la constance des martyrs, de la pérennité de l'Eglise [13]. »

Entre ce qui est, à proprement parler, le miracle de l'Exode et les détails où, manifestement, l'imagination a brodé, il reste toute une zone où l'on ne peut déterminer exactement la part de l'histoire et celle de l'imagination. Sans doute doit-on poser en principe que plus une donnée est en connexion étroite avec ce miracle, plus il convient d'être circonspect avant d'en suspecter la valeur historique, mais, ceci fait, il faut « laisser aux textes leur teinte et leur flou épiques [14] » et se dire que, si Dieu avait jugé bon de révéler la part exacte de l'histoire et celle de l'imagination, Il n'aurait pas fait écrire ces traditions sur un mode épique.

LA SORTIE D'EGYPTE

Avec la création et le choix d'Abraham, la sortie d'Egypte est un des éléments fondamentaux de la foi d'Israël. Elle

---

13. H. Lusseau, *art. cit.* p. 40.
14. A. Gelin, *art. cit.* p. 37.

est précédée par un récit captivant des rencontres de Moïse et de Pharaon et des fléaux qui s'abattent sur l'Egypte ; une vérité s'en dégage : Yahweh, qui a appelé Moïse, est plus puissant que Pharaon et intervient efficacement pour l'obliger à laisser partir les enfants d'Israël [15].

La sortie d'Egypte est marquée par la célébration de la première Pâque israélite. Ce mot, d'origine incertaine [16], est mis en relation, grâce à une étymologie populaire, avec le passage de Yahweh [17] frappant les Egyptiens et épargnant les Hébreux. La Pâque désigne tantôt l'agneau immolé pour la fête [18], tantôt l'ensemble de cette fête qui rappelle les faits majeurs de la sortie d'Egypte : la célébration de la Pâque, le passage de Yahweh et le passage de la mer Rouge.

Le chapitre 12 de l'Exode, qui appartient, en grande partie, à la tradition sacerdotale, décrit avec des prescriptions et des précisions rituelles *la célébration de la Pâque*. Sur l'ordre de Yahweh, les Israélites *immolent et mangent l'agneau pascal* :

Le dix de ce mois, procurez-vous chacun une tête de petit bétail par famille... La bête sera sans tares, mâle, âgée d'un an. Vous la choisirez parmi les moutons ou les chèvres. Vous la garderez jusqu'au quatorzième jour de ce mois ; alors l'assemblée entière de la communauté d'Israël l'égorgera entre les deux soirs. On prendra de son sang, et on en mettra sur les deux montants et le linteau de la porte des maisons où on la mangera. Cette nuit-là, on mangera la chair rôtie au feu; on la mangera avec des azymes et des herbes amères... Vous la mangerez ainsi : les reins ceints, sandales aux pieds, le bâton à la main.

---

15. Ex. 7, 8-11, 10.
16. On pourra lire à ce sujet B. Couroyer, O.P., *L'origine égyptienne du mot « Pâque »*, dans *R.B.* 1955, pp. 481-496.
17. Littéralement « le salut de Yahweh », Ex. 12, 13 et 12, 23 — voir *R.B.* 1955, p. 493.
18. Ex. 12, 21 et 1 Cor. 5, 7 (« Notre pâque, le Christ, a été immolée »).

Vous la mangerez en toute hâte : c'est une Pâque en l'honneur
de Yahweh... Le sang vous servira à désigner les maisons où
vous vous tenez. A la vue de ce sang, je passerai outre et vous
échapperez au fléau destructeur, lorsque je frapperai le pays
d'Egypte [19].

Il faut noter les détails qui traduisent l'atmosphère et la
hâte du départ : les Hébreux consomment du pain dont la
pâte n'a pas fermenté et mangent la Pâque, debout, en
tenue de voyage.

Le sacrifice est suivi du *passage de Yahweh* qui épar-
gne Israël, mais frappe les Egyptiens et, ainsi, *délivre son
peuple :*

Au milieu de la nuit, Yahweh frappa tous les premiers-nés
dans le pays d'Egypte... Ce fut, en Egypte, une immense cla-
meur, car il n'y avait pas de maison où il n'y eût un mort.
Pharaon convoqua Moïse et Aaron en pleine nuit et leur dit :
« Levez-vous et sortez du milieu de mon peuple... Allez rendre
un culte à Yahweh [20]. »

Quoiqu'il en soit de l'événement lui-même, que l'on ne
connaîtra jamais avec précision, ce ne serait tenir aucun
compte du genre littéraire que d'imaginer l'Exterminateur
comme un ange qui aurait frappé directement chaque enfant. La description de cette plaie contribue, avec celles
qui ont précédé, à traduire la réalité de l'intervention
toute-puissante de Yahweh en faveur de son peuple. Dieu
a délivré Israël :

Toutes les armées de Yahweh sortirent du pays d'Egypte [21].

La délivrance, toutefois, ne sera complète qu'après la
traversée de la mer Rouge : *le passage de la mer des Roseaux* mettra les enfants d'Israël définitivement hors d'atteinte de la domination égyptienne. Un instant désorientés,

---

19. Ex. 12, 3-13.
20. Ex. 12, 29-31.
21. Ex. 12, 41.

les Egyptiens se sont repris et se lancent à la poursuite des Hébreux, mais, au moment où la situation devient critique pour Israël, Dieu intervient pour sauver son peuple.

A l'approche de Pharaon, les enfants d'Israël poussèrent des clameurs vers Yahweh... Moïse étendit sa main sur la mer. Yahweh refoula la mer toute la nuit par un fort vent d'est et il la mit à sec. Les eaux se fendirent et les enfants d'Israël s'engagèrent dans le lit asséché de la mer, avec une muraille d'eau à leur droite et à leur gauche. Les Egyptiens les poursuivirent : tous les chevaux de Pharaon, ses chars et ses cavaliers s'engagèrent à leur suite dans le lit de la mer. A la veille du matin, Yahweh regarda de la colonne de feu et de nuée vers l'armée des Egyptiens et y jeta la confusion. Il enraya les roues de leurs chars qui n'avançaient plus qu'à grand'peine... Yahweh dit à Moïse : « Etends ta main sur la mer, que les eaux refluent sur les Egyptiens, leurs chars et leurs cavaliers. » Moïse étendit sa main sur la mer et, au point du jour, la mer rentra dans son lit. Comme les Egyptiens, dans leur fuite, marchaient à sa rencontre, Yahweh les culbuta au milieu de la mer... Pas un d'eux n'échappa... Ce jour-là Yahweh délivra Israël des mains des Egyptiens... Israël fut témoin de la prouesse accomplie par Yahweh contre les Egyptiens... Il eut foi en Yaweh et en Moïse, son serviteur [22].

Le fond du récit est « l'assistance divine prêtée aux Israélites à l'heure critique où leur exode semblait devoir tourner à la catastrophe [23] ». Il semble que Dieu ait utilisé des causes naturelles (le vent d'Orient qui souffle toute la nuit). En tout cas, le texte proclame sans équivoque « la réalité d'un secours divin [24] » :

Les Egyptiens s'écrièrent : « Fuyons devant les Israélites, car Yahweh combat pour eux contre les Egyptiens [25] ! »

C'est là l'essentiel : peu importe, ensuite, si le récit em-

---

22. Ex. 14, 10-31.
23. B. Couroyer, *L'Exode*, p. 74.
24. *Id.*
25. Ex. 14, 25.

prunte le mode épique et si certains détails manifestent le travail de l'imagination ou l'amplification propre à ce genre (la muraille d'eau à droite et à gauche, le « Pas un des Egyptiens n'échappa », qui reflète l'optimisme bien connu des communiqués de victoire, etc...), *Yahweh a délivré son peuple*. Ce thème dut faire le fond du chant de victoire des Hébreux : il est repris dans le « cantique de Moïse », appelé parfois le « Te Deum » des Hébreux, dont la rédaction, sous cette forme, est évidemment plus tardive [26].

La sortie d'Egypte est un fait capital dans l'histoire du salut : avec elle, commence l'histoire proprement dite du peuple d'Israël. Jusque-là, il y avait des clans hébreux qui vivaient au milieu de la population égyptienne, il n'y avait pas un peuple : en délivrant d'Egypte les descendants d'Abraham, *Dieu en fait un peuple* sous la conduite de Moïse.

LE DIEU DE L'EXODE

A travers les faits de l'Exode, Dieu se révèle comme il s'était déjà révélé dans le choix d'Abraham. Le Dieu de l'Exode n'est pas un simple dieu de nature, mais un *Dieu personnel et agissant* [27]. C'est le *Dieu unique* qui est *à l'origine de tout le dessein de salut :* le Dieu qui a été avec Abraham, Isaac et Jacob, et le Dieu qui nous sauve aujourd'hui — écrivant aux chrétiens de Corinthe, saint Paul leur laisse entendre que le Christ, dans sa préexistence de Fils de Dieu, était déjà à l'œuvre dans l'Exode [28]. C'est un *Dieu qui appelle* et auquel on répond, comme Moïse, par la

---

26. Ex. **15**, 1-18. L'allusion à Jérusalem et au temple (v. **17**) montre, à l'évidence, le caractère tardif de la rédaction.

27. Voir Cazelles, *art. cit.* col. 1324 ; A. Gelin écrit de son côté : « L'intuition fondamentale, chez Moïse, pourrait se formuler ainsi : Yahweh, qui fait l'élection d'Israël, est le seul Dieu et le Dieu moral. », *art. cit.* p. 43.

28. 1 Cor. **10**, 4.

foi et l'engagement de toute la personne : Moïse quitte la tranquillité du pays de Madian, lutte contre Pharaon et part au désert avec Israël. Le Dieu de l'Exode est un *Dieu de délivrance :* Il sauve son peuple de l'Egypte, préfigurant ainsi le salut à venir. C'est un *Dieu qui sauve les hommes en peuple :* le peuple qui sort de l'Egypte est déjà une image du peuple que sera l'Eglise, communauté où chacun a sa place et trouve son épanouissement. Pour tout dire, le Dieu de l'Exode est un *Dieu d'amour qui a pitié et qui sauve.*

RESONANCES BIBLIQUES DE L'EXODE

La célébration de la première Pâque, l'intervention de Yahweh, le passage de la mer des Roseaux, la marche au désert, en un mot l'Exode occupent une place de premier plan dans la pensée d'Israël et marquent profondément son âme religieuse : les psalmistes et les sages les ont célébrés sur un mode lyrique [29]; pour les prophètes, la période du désert est une époque idéale, celle des fiançailles entre Dieu et son peuple [30], et le retour d'exil est présenté sous l'image d'une nouvelle sortie d'Egypte :

Ce jour-là, ... Yahweh asséchera le golfe de la mer d'Egypte
et étendra la main sur le Fleuve,
par la violence de son souffle,
et le divisera en sept bras,
et on le traversera sandales aux pieds,
afin qu'il y ait une route pour le reste de son peuple
qui restera de l'exil d'Assur,
comme il y en eut une pour Israël
lorsqu'il remonta d'Egypte [31].

Mais l'Exode n'était que la réalisation initiale du des-

---

29. Ps. 78, **105**, **136** ; Sag. **10**, 15-11, 20.
30. Os. **2**, 17.
31. Is. **11**, 15-16.

sein de salut et la préfiguration de la délivrance apportée
au monde par le Christ. Aussi l'œuvre de Jésus est-elle
présentée comme le nouvel Exode dès la prédication de
Jean-Baptiste, « voix qui crie dans le désert : Préparez le
chemin du Seigneur, aplanissez ses sentiers [32] », et le quatrième évangile montre-t-il le Christ réalisant les principales figures de l'Exode : la manne, le rocher d'où coulent
des fleuves d'eau vive, le serpent d'airain, signe de salut,
la demeure de Dieu, la lumière qui guide dans les ténèbres,
l'agneau pascal [33].

La liturgie de la nuit de Pâques est, elle aussi, tout im-
prégnée de la pensée de l'Exode : elle fait mémoire de la
première Pâque et célèbre la Pâque nouvelle, commencement du nouvel Exode qui s'achèvera au retour du Christ
et que l'auteur de l'Apocalypse évoque dans la vision où
les élus « chantent le cantique de Moïse, le serviteur de
Dieu, et le cantique de l'Agneau [34] ».

LECTURES

Exode 1-18,
Psaumes 78 ; 105 ; 136.
Sagesse 10, 15-11, 20 et 16, 1-19, 22 — dans ce texte, d'un
genre littéraire particulier, l'auteur se livre à un développement assez libre dans un but d'édification et d'enseignement : au récit de l'Exode, dont il cherche à dégager le
sens profond, il mêle des traits légendaires ou poétiques
et il apporte des interprétations nouvelles qui expriment
toute une théologie de l'histoire.

---

32. Mt. 3, 3.
33. Jn. 6, 31-32 ; 7, 37-39 ; 3, 14 ss. ; 1, 14 et 2, 19 ss. ; 8, 12 ;
19, 33 ss.
34. Ap. 15, 3-4.

Chapitre Sixième

MOISE ET L'ALLIANCE

L'ALLIANCE DU SINAI ET LA DESTINEE D'ISRAEL

En libérant de la servitude égyptienne les descendants d'Abraham, Dieu en a fait *un peuple* sous la conduite de Moïse ; en concluant avec eux l'Alliance du Sinaï, Il en fait *son peuple* [1]. L'événement est capital pour l'avenir d'Israël, dont l'histoire n'est autre que celle de l'Ancienne Alliance, l'Ancien Testament. L'Alliance est le foyer autour duquel tout gravite, le point de ressourcement auquel le peuple doit sans cesse revenir pour rester fidèle à sa vocation. Dès l'entrée en Terre Promise, Josué renouvelle l'Alliance à Sichem pour affirmer la foi en Yahweh et prévenir la contagion des cultes cananéens [2]; à l'époque royale, les prophètes en rappellent continuellement l'esprit et les exigences, et le roi Josias, dans un dernier essai de redressement religieux avant l'exil, la réitère solennellement [3] ; la captivité de Babylone provoque une reprise de conscience

---

1. Cette distinction n'a qu'une valeur générale, elle serait fausse si on la durcissait : la sortie d'Egypte et l'Alliance contribuent l'une et l'autre à faire des Hébreux le peuple de Yahweh. — Voir B. Couroyer, *L'Exode*, p. 10.
2. Jos. 24.
3. 2 Rois 23.

de ses valeurs religieuses et morales, et le peuple, de retour en Palestine, renouvelle l'Alliance [4]. Un jour viendra, où le Messie promis réalisera l'Alliance Nouvelle que l'Alliance du Sinaï avait pour but de préparer.

ANTECEDENTS SOCIOLOGIQUES ET RELIGIEUX DE L'ALLIANCE

L'Alliance du Sinaï n'est pas arrivée à l'improviste. Pour choisir et guider son peuple, Dieu a tenu compte de sa mentalité. Pour les Hébreux, l'Alliance est un lien d'appartenance mutuelle qui unit les contractants en vertu d'un pacte de caractère sacré et entraîne pour eux des droits et des devoirs [5]. « L'idée de l'Alliance avec Dieu cadre parfaitement avec l'état social et culturel des plus anciens Hébreux, chez qui l'alliance d'homme à homme ou de clan à clan tenait une large part dans la vie sociale [6] ». Sur le plan religieux, l'alliance ne se présente pas non plus comme quelque chose d'insolite : Dieu avait sanctionné par une alliance la promesse faite à Abraham, s'engageant à lui accorder une postérité nombreuse et à donner à celle-ci la terre de Canaan [7]. L'Alliance du Sinaï est le prolongement, la reprise avec le peuple de l'Alliance avec Abraham.

L'ALLIANCE DU SINAI

ATMOSPHÈRE

Charte religieuse d'Israël, l'Alliance se conclut dans le site grandiose du Sinaï : la montagne où Yahweh appelle

---

4. Néh. 8-10.
5. Par ex. : l'alliance entre Israël et les Gabaonites (Jos. **9**, 3-21). Sur le concept d'alliance, voir J. Pedersen, cité dans P. van Imschoot, *Théologie de l'Ancien Testament*, I, Paris-Tournai 1954, p. 238.
6. P. van Imschoot, *id.*, p. 252.

Moïse est identifiée généralement avec le Djebel Moûsa, sommet majestueux qui domine la plaine d'er Raha dans le sud de la péninsule sinaïtique. Ce cadre naturel, la manifestation de Dieu, le sacrifice et le repas rituel contribuent à donner à l'événement son atmosphère *religieuse* et *sacrée*. Le climat de l'Alliance est encore fait de *gratuité* et *de liberté*. En effet, d'une part, l'Alliance se réalise sur l'initiative de Yahweh qui la propose au peuple par l'intermédiaire de Moïse :

Voici en quels termes tu parleras à la maison de Jacob... :

« Désormais, si vous m'obéissez et respectez mon alliance, je vous tiendrai pour miens parmi tous les peuples... [8] »

Comme le soulignera le Deutéronome [9], ce ne sont pas les mérites d'Israël qui provoquent l'initiative divine : celle-ci a son origine dans l'amour gratuit du Dieu fidèle à ses promesses. D'autre part Dieu, qui dans la réalisation de son dessein respecte la liberté de l'homme, n'impose pas l'Alliance, mais la propose au libre consentement du peuple :

Moïse convoqua les anciens du peuple et leur exposa tout ce que Yahweh lui avait prescrit. Alors le peuple entier, d'un commun accord, répondit : « Tout ce que Yahweh a dit nous le mettrons en pratique [10]. »

LE DIEU DE L'ALLIANCE

Avant de conclure l'Alliance, Dieu se fait, à nouveau, connaître à Israël, comme s'il voulait que celui-ci prenne bien conscience du Dieu envers lequel il va s'engager.

Yahweh dit à Moïse : Va trouver le peuple et fais-le se préparer aujourd'hui et demain. Qu'ils lavent leurs vêtements et se tiennent prêts pour après-demain car, après-demain, Yahweh

---

7. Gen. 15 ; cf. *supra*, ch. 4.
8. Ex. 19, 3-5.
9. Deut. 7, 7 ss.
10. Ex. 19, 7-8.

descendra, à la vue de tout le peuple, sur la montagne du Sinaï. Puis délimite le pourtour de la montagne et donne cet avertissement : Gardez-vous de gravir la montagne ou même d'en toucher la base.

Le surlendemain, Dieu se manifeste dans une théophanie accompagnée de phénomènes impressionnants :

Au lever du jour, il y eut sur la montagne des tonnerres, des éclairs, une épaisse nuée, accompagnés d'un puissant son de trompe [11], et, dans le camp, tout le peuple trembla. Moïse conduisit le peuple hors du camp, à la rencontre de Dieu, et ils se tinrent au bas de la montagne. La montagne du Sinaï était toute fumante parce que Yahweh y était descendu sous forme de feu. La fumée s'en élevait comme d'une fournaise et toute la montagne tremblait violemment. Il y eut un son de trompe qui allait s'amplifiant. Moïse parlait, et Dieu lui répondait par des coups de tonnerre. Yahweh descendit sur la montagne du Sinaï, au sommet de la montagne, et manda Moïse au sommet de la montagne. Et Moïse monta... [12]

Au peuple qu'il a « fait sortir du pays d'Egypte, de la maison de servitude [13], Yahweh rappelle ainsi la *majesté* et sa *transcendance* — le décalogue interdira de représenter matériellement celui qui est le Dieu *Unique* et supérieur à tout ordre créé [14] — ; il se montre le *maître de la création* et des éléments ; enfin, en demandant au peuple de se purifier et en lui interdisant l'accès de la montagne, Yahweh lui fait comprendre qu'il est le Dieu *très saint*.

OBJET DE L'ALLIANCE

L'objet de l'alliance que Yahweh conclut avec Israël se résume en une formule que l'on trouve équivalemment dans

---

11. Bruit du vent violent au cours de l'orage.
12. Ex. 19, 10-12, 16-20.
13. Ex. 20, 2.
14. Ex. 20, 3-4.
15. Ex. 19, 5-6.

l'Exode [15] et qui revient fréquemment dans la littérature biblique [16] :

Je serai pour vous un Dieu et vous serez pour moi un peuple [17].

L'Alliance fait de *Yahweh le Dieu d'Israël* [18] et d'*Israël le peuple de Dieu*. Du point de vue Dieu, cela se traduit par une présence, un soutien, le don d'une loi et d'une terre. Dieu va être présent à son peuple d'une manière spéciale :

Fais-moi un sanctuaire, que je puisse résider parmi eux [19].

Il assure Israël d'une protection et d'une aide particulières :

Si tu fais bien tout ce que je te dis, je serai l'ennemi de tes ennemis et l'adversaire de tes adversaires [20].

Il donne à son peuple une loi pour le guider dans sa vie religieuse et morale, et lui promet un pays qu'il possédera [21].

De son côté, le peuple gardera l'Alliance en se montrant fidèle à la Loi donnée par Yahweh. L'Alliance n'est pas quelque chose de tout fait donné une fois pour toutes : elle a un caractère moral et religieux, c'est une réalité qu'il faut vivre dans l'adhésion constante à la volonté de Yahweh. Celle-ci est exprimée dans le Décalogue, dont le « Code de l'Alliance » [22] applique les principes « au civil et au criminel » [23]. Le Décalogue prescrit les devoirs envers Dieu et envers le prochain :

---

16. Jér. **31, 33** ; Ez. **37, 23** ; Ap. **21, 3**.
17. Lév. **26, 12**.
18. A un titre particulier, car, autrement, il est le Dieu de tous les peuples : « Toute la terre est mon domaine », dit-il à Moïse (Ex. **19**, 5).
19. Ex. **25**, 8.
20. Ex. **23**, **22**.
21. Ex. **23**, 30-31.
22. On désigne sous ce nom Ex. **20**, 22-23, 33.
23. B. Couroyer, *L'Exode*, p. 100, n. a.

C'est moi Yahweh, ton Dieu qui t'ai fait sortir du pays d'Egypte...

Tu n'auras pas d'autres dieux que moi.

Tu ne te feras aucune image sculptée,...

Tu ne prononceras pas le nom de Yahweh ton Dieu à faux...

Souviens-toi du jour du sabbat pour le sanctifier...

Honore ton père et ta mère...

Tu ne tueras pas.

Tu ne commettras pas d'adultère.

Tu ne voleras pas.

Tu ne porteras pas de témoignage mensonger contre ton prochain.

Tu ne convoiteras pas la maison de ton prochain. Tu ne convoiteras pas la femme de ton prochain, ni son serviteur, ni sa servante, ni son bœuf, ni son âne : rien de ce qui est à lui [24].

La Loi donnée par Dieu à son peuple est le fondement du monothéisme moral (croyance au Dieu unique impliquant une attitude religieuse et morale) qui caractérise la religion d'Israël.

RITES DE CONCLUSION DE L'ALLIANCE

A la différence de l'alliance faite avec la personne d'Abraham, l'Alliance du Sinaï est conclue entre Yahweh et le peuple : le peuple tout entier reçoit la proposition de l'Alliance, la connaissance de la Loi et ratifie l'Alliance. Ceci, du reste, n'empêche pas Moïse de jouer un rôle exceptionnel dans l'événement du Sinaï : il est le médiateur de l'Alliance auquel Yahweh fait ses communications et donne ses ordres, il sert d'intermédiaire entre Dieu et le peuple, il accomplit les rites de l'Alliance. Dans les récits de l'Exode, deux rites accompagnent la lecture de la Loi par Moïse et son acceptation par le peuple : le rite de l'effusion du sang et le repas sacrificiel. Le premier se rattache à la tradi-

---

24. Ex. **20**, 2-17.

tion élohiste, l'autre à la tradition yahviste ; ils expriment, chacun à sa manière, la réalité religieuse de l'Alliance : Yahweh est le Dieu d'Israël, Israël est le peuple de Dieu.

Le rite de l'effusion du sang étonne l'Européen du xx⁰ siècle pour lequel un traité ne se conclut qu'autour d'un tapis vert par l'apposition de quelques signatures au bas d'un document écrit, cérémonial qui aurait sans doute paru bien pauvre aux Hébreux contemporains de Moïse. Il faut essayer d'entrer dans leur mentalité pour comprendre le sacrifice de l'Alliance.

Le lendemain, au point du jour, Moïse bâtit un autel au bas de la montagne et douze stèles pour les douze tribus d'Israël. Puis il donna mission à de jeunes Israélites d'offrir des holocaustes et d'immoler à Yahweh de jeunes taureaux en sacrifice de communion. Moïse recueillit la moitié du sang et la mit dans des bassins, et il projeta l'autre moitié contre l'autel. Il prit le livre de l'Alliance et il en fit la lecture au peuple qui déclara : « Tout ce qu'a dit Yahweh, nous le mettrons en pratique et nous y obéirons. » Moïse, ayant alors pris le sang, le projeta sur le peupe et dit : « Ceci est le sang de l'Alliance que Yahweh a conclue avec vous moyennant toutes ces clauses [25]. »

Pour les Sémites, le sang est le principe vital (« l'âme »), la vie de l'homme ou de l'animal :

Le sang, c'est « l'âme », et tu ne dois pas manger l'âme avec la chair [26].

La vie de toute chair, c'est son sang, et j'ai dit aux enfants d'Israël : « Vous ne mangerez du sang d'aucune chair car la vie de toute chair, c'est son sang... [27] »

Par suite, l'effusion d'un même sang sur l'autel qui représente Dieu, puis, après la lecture et l'acceptation de la Loi, sur le peuple est le signe d'une sorte de communauté

---

25. Ex. 24, 4-8.
26. Deut. 12, 23.
27. Lév. 17, 14.

de vie, d'une communion créée par l'Alliance entre Yahweh
et Israël.

Tel est aussi le sens du *repas sacré* pris en présence de
Yahweh :

> Moïse monta, accompagné d'Aaron, de Nadab, d'Abihu et de
> soixante-dix des anciens d'Israël. Ils contemplèrent le Dieu
> d'Israël... Il ne porta pas la main sur les notables des enfants
> d'Israël, et ils purent contempler Dieu. Ils mangèrent et ils
> burent [28].

Le repas pris en commun est normalement le signe de
la joie et de la paix entre les convives, et le fait de prendre
la même nourriture crée entre eux une certaine unité de vie
et renforce cette joie et cette paix; c'est pourquoi le repas
aura une si grande place dans les paraboles du Royaume
et le Christ instituera l'Eucharistie sous forme de repas. Le
banquet sacré pris au sommet du Sinaï en présence de Yahweh est l'expression de la paix et de l'unité vitale établies
par l'Alliance entre Yahweh et Israël.

L'ALLIANCE DU SINAI, PRELUDE DE LA NOUVELLE ALLIANCE

L'Alliance sera, désormais, le cadre de l'éducation religieuse du peuple de Dieu : dominée par la personnalité des
prophètes, des sages et des pauvres de Yahweh, elle per-
mettra la formation de « l'Israël qualitatif [29] » qui aura
son sommet en la Vierge Marie, avant que ne vienne le
Christ, médiateur de l'Alliance Nouvelle. Dans le dessein
de Dieu, en effet, l'Alliance, comme l'histoire du peuple de
Dieu, était orientée, dès l'origine, vers la réalisation des
promesses : elle était une préparation et une figure d'une

---

28. Ex. 24, 9-11.
29. Expression de A. Gelin, *Les pauvres de Yahvé*, Paris 1953,
p. 31.

Alliance définitive et universelle. Jésus, nouveau Moïse, chef du nouvel Israël, réalisera en son sang l'Alliance Nouvelle pour le salut du *monde* :

Ceci est mon sang, le sang de l'Alliance qui va être répandu pour une multitude en rémission des péchés [30].

« Dieu avec nous », il sera la demeure de Dieu parmi les hommes [31] et donnera le commandement qui accomplit la Loi en plénitude [32]. L'Alliance ainsi instaurée aura son achèvement dans la Jérusalem céleste décrite à la fin de l'Apocalypse.

L'ALLIANCE DU SINAI ET LE PEUPLE CHRETIEN

Participant à l'Alliance nouvelle, le chrétien trouve cependant dans l'alliance du Sinaï un enseignement qui le concerne. Le Christ est venu, en effet, accomplir ce qu'elle préparait et annonçait ; par suite, tout ce qu'il y a en elle de positif se retrouve dans la Nouvelle Alliance à l'état d'achèvement et a valeur d'enseignement pour le disciple du Christ. De plus, le Dieu de Moïse est celui qui a envoyé son Fils dans le monde pour réaliser la Nouvelle Alliance : la manière dont il se révèle au Sinaï intéresse donc directement le chrétien. Il est le Dieu *unique, qui n'admet pas que l'on partage son amour avec celui des idoles,* celles d'aujourd'hui comme celles d'autrefois. C'est le Dieu *fidèle à l'Alliance,* celui qui ne trompe pas et sur lequel on peut toujours s'appuyer. C'est aussi un Dieu *d'amour :* l'appel qu'il adresse à son peuple vient de sa seule bonté et a pour but de le faire monter spirituellement et vivre en communion avec lui, et ce qui vaut pour Israël est encore plus vrai pour ceux qui ont la réalité de la vie dans le

---

30. Mt. 26. 28.
31. Jn. 1, 14 ; 2, 19-21.
32. Jn. 13, 34.

Christ. La religion de l'Alliance, que Jésus portera à sa per-fection, est elle-même une instruction pour le chrétien. Elle est une *religion vivante,* qui se traduit dans le quotidien de l'existence ; les attentions que demande la Loi pour le pauvre, l'étranger, la veuve et l'orphelin sont comme des pierres d'attente de la loi de charité [33]. C'est une *religion personnelle,* mais non individualiste, car elle est vécue à *l'intérieur du peuple de Dieu.* Déjà l'on voit que la religion de celui qui est engagé dans le dessein de Dieu ne peut être une religion coupée de la vie, pas plus, d'ailleurs, qu'une religion individualiste qui ferait abstraction de l'apparte-nance au peuple de Dieu.

LECTURES

Exode 19-24; 32-34; 40.
Jérémie 31, 31-34.
Matthieu 26, 26-29.
Hébreux 8, 6-10, 18.

---

33. Ex. 22, 20-26.

Chapitre Septième

LE PROPHÉTISME ET LES PROPHÈTES

CADRE RELIGIEUX ET POLITIQUE

L'Alliance du Sinaï a fait des descendants d'Abraham le peuple de Yahweh. Elle est la charte religieuse du peuple choisi pour être le dépositaire de la Parole de Dieu et l'instrument de réalisation du dessein de salut, le peuple de l'Incarnation. Celle-ci s'accomplira au terme d'une éducation religieuse et morale qui va se poursuivre pendant des siècles et dont le principe sera la fidélité à l'Alliance dans la foi au Dieu unique, transcendant et personnel, qui a appelé Israël, et la pratique de la Loi qu'il a donnée à son peuple.

Conformément à sa parole, Dieu donne à Israël la terre qu'il lui avait promise : sous la conduite de Josué, les Israélites pénètrent en Canaan vers 1200, et l'occupation, d'abord partielle, de la Terre Sainte se fait, ensuite, plus complète. Le premier état politique d'Israël est celui d'une sorte de fédération de tribus, qui vivent les unes auprès des autres et se coalisent de temps en temps pour répondre aux agressions de leurs voisins. Au XIᵉ siècle, sous la pression des Philistins et à la faveur d'une décadence temporaire de l'Egypte et de l'Assyrie, les tribus s'unissent et prennent pour roi Saül ; l'unité s'affermit sous son successeur David (vers 1010), qui donne pour capitale politique et re-

6

ligieuse au royaume Jérusalem, la ville sainte ; par l'intermédiaire de Natân, le prophète (2 Samuel 7), les promesses divines se précisent en faveur de la descendance de David : la prophétie de Natân marque le point de départ du messianisme royal, selon lequel l'envoyé de Dieu sera fils de David et recevra, à un titre spécial, l'onction de Yahweh (le mot « Christ » est l'équivalent grec du mot hébreu « Messie », qui signifie « Oint » : il s'appliquera à Jésus en un sens absolument original) ; Salomon, le fils de David, construit le Temple, la demeure de Yahweh. Après sa mort (932), l'unité politique se défait avec le schisme de Jéroboam : deux royaumes, le royaume du Nord ou d'Israël (fin en 721) et le royaume du Sud ou de Juda (fin en 587), se constituent qui évoluent parallèlement tout en se réclamant de la foi en Yahweh.

Tel est le cadre religieux et politique où le peuple de Dieu vit l'Alliance et où se déroule l'activité des premiers prophètes.

LE PROPHETISME, ELEMENT CAPITAL DE LA VIE RELIGIEUSE D'ISRAEL

Au début de l'épître aux Hébreux, l'auteur affirme que Dieu nous a parlé par son Fils,

après avoir, à maintes reprises et sous maintes formes, parlé jadis aux Pères par les prophètes [1].

De fait tout l'Ancien Testament témoigne de l'importance capitale du prophétisme dans l'histoire religieuse d'Israël : toute une section de la Bible est composée des écrits des prophètes, les livres historiques rapportent aussi l'activité de plusieurs prophètes, et, dans le Pentateuque [2], tandis que le livre des Nombres proclame Moïse, auquel Yahweh

---

1. Héb. 1, 1.
2. Voir chap. 2, n. 5.

« parle bouche à bouche », c'est-à-dire face à face, supérieur aux prophètes auxquels Dieu ne se révèle qu'en vision ou en songe[3], le Deutéronome reconnaît en lui le plus grand des prophètes :

Il ne s'est plus élevé en Israël de prophète pareil à Moïse, lui que Yahweh connaissait face à face[4].

Par ses envoyés Dieu parlait à son peuple, aussi le silence de Dieu que constituait la cessation du prophétisme apparaissait-il aux Israélites comme un châtiment :

Voici venir des jours, — oracle du Seigneur Yahweh —
   où j'enverrai la faim dans le pays,
   non pas une faim de pain, ni une soif d'eau,
   mais d'entendre la parole de Yahweh.
   D'une mer à l'autre on ira titubant,
   on errera du nord au levant
   pour chercher la parole de Yahweh,
   et on ne la trouvera pas[5] !

La réapparition du prophétisme était, au contraire, un signe de la faveur divine, et, comme en témoigne la question des envoyés des Juifs à Jean-Baptiste[6], Israël, s'appuyant sur un oracle de Malachie, attendait la venue d'un nouvel Elie pour le temps qui précéderait la Messie :

Voici que je vais envoyer mon messager, pour qu'il déblaie un chemin devant ma face. Et soudain il entrera dans son sanctuaire, le Seigneur que vous cherchez ; et l'Ange de l'Alliance que vous désirez, le voici qui vient !...

Voici que je vais vous envoyer Elie le prophète, avant que n'arrive mon jour, grand et redoutable. Il ramènera le cœur des pères vers leurs fils et le cœur des fils vers leurs pères, de peur que je ne vienne frapper le pays d'anathème[7].

---

3. Nb. 12, 6-8.
4. Deut. 34, 10.
5. Am. 8, 11-12 ; voir Ez. 7, 26.
6. Jn. 1, 21.
7. Mal. 3, 1, 23-24.

LES PROPHETES DONT PARLE LA BIBLE

Parmi les nombreux prophètes dont parle la Bible, les
« *fils de prophètes* » méritent une mention particulière. Ce
sont des prophètes au sens large du mot qui, sans avoir été
l'objet d'un appel personnel, ont choisi eux-mêmes leur
genre de vie et constituent des espèces de confréries religieuses que l'on rencontre dans les parages des sanctuaires
(Rama, Béthel, Gilgal...). Le caractère de ces confréries,
dont l'existence date probablement de la période des Juges, a varié au cours de l'histoire d'Israël. « Au temps de
Samuel ils sont des enthousiastes ; ils se réunissent ou vivent par troupes. Ils exécutent des exercices bizarres, sor-
tes de danses religieuses, au son d'instruments de musique,
tambourins, cymbales, luths. Parfois leurs transports sont
tels que leur état devient contagieux... [8] » ; c'est ce que
rappelle un récit de la fuite de David devant Saül :

Saül envoya des messagers pour se saisir de David et ceux-ci
virent la communauté des prophètes en train de prophétiser,
Samuel se tenant à leur tête. Alors l'esprit de Dieu s'empara des
messagers de Saül et ils furent pris de délire eux aussi. On avertit Saül, qui envoya d'autres messagers, et ils furent pris de
délire eux aussi. Saül envoya un troisième groupe de messagers,
et ils furent pris de délire eux aussi.

Alors il partit lui-même pour Rama... Mais l'esprit de Dieu
s'empara aussi de lui et il marcha en délirant jusqu'à son arrivée aux cellules (des prophètes) à Rama. Lui aussi il se dépouilla
de ses vêtements, lui aussi il fut pris de délire devant Samuel,
puis il s'écroula nu et resta ainsi tout le jour et toute la nuit.
D'où le dicton : « Saül est-il aussi parmi les prophètes [9] ? »

Samuel, Elie et Elisée furent en rapport avec ces groupes
de prophètes qu'il faut juger en fonction de leur temps et

---

8. J. Chaine, *Introduction à la lecture des prophètes*, 3 éd.,
Paris 1932, p. 12.
9. 1 Sam. **19**, 20-24 ; voir **10**, 5-6.

de leur milieu et d'après l'ensemble de leur activité. Si certains « fils de prophètes » perdirent le sens de l'institution dont ils faisaient partie, les autres engageaient le peuple par leur exemple à rendre un culte à Dieu, maintenaient la vraie religion « par des moyens appropriés aux mœurs de l'époque [10] » et prenaient part à la lutte pour la pureté du Yahvisme en Israël : au temps d'Achab, la lutte contre le culte de Baal provoqua une persécution et beaucoup furent massacrés sur l'ordre de Jézabel comme prophètes de Yahweh [11].

On rencontre aussi dans la Bible un certain nombre de *faux prophètes* ou prophètes de mensonge. Ce sont des hommes qui prophétisent au nom de Yahweh sans en avoir reçu mission ou qui falsifient le message divin :

Alors Yahweh me dit :

« C'est le mensonge que ces prophètes annoncent en mon nom; je ne les ai pas envoyés, je ne leur ai rien ordonné, je ne leur ai point parlé. Visions de mensonge, divinations creuses, rêveries de leur cœur, voilà ce qu'ils vous prophétisent [12]. »

A diverses reprises ils luttent contre les vrais prophètes : Sédécias frappe Michée, fils de Yimla [13], Hananya discute violemment avec Jérémie en présence du peuple [14], ... Le Deutéronome indique plusieurs signes pour reconnaître les faux prophètes, en premier lieu le non-accomplissement de leurs paroles :

Peut-être vas-tu dire en ton cœur : « Comment saurons-nous que cette parole, Yahweh ne l'a pas dite ? » Si ce prophète a parlé au nom de Yahweh, et que sa parole reste sans effet et ne s'accomplisse pas, alors Yahweh n'a pas dit cette chose-là. Le prophète a parlé avec présomption. Tu n'as pas à le craindre [15].

---

10. J. Chaine, *op. cit.*, p. 13.
11. 1 Rois 19, 1 ss.
12. Jér. 14, 14.
13. 1 Rois 22, 24.
14. Jér. 28, 1-17.
15. Deut. 18, 21-22.

Mais il pourait arriver que les prophètes de mensonge séduisent le peuple par des prodiges, aussi le critère le plus valable est-il, en dernier ressort, la fidélité au Yahvisme :

Si quelque prophète... surgit au milieu de toi, s'il te propose un signe... et qu'ensuite ce signe arrive, s'il te dit alors : « Allons suivre d'autres dieux (que tu n'as pas connus) et servons-les », tu n'écouteras pas les paroles de ce prophète... C'est Yahweh votre Dieu qui vous éprouve pour savoir si vraiment vous aimez Yahweh votre Dieu de tout votre cœur et de toute votre âme. C'est Yahweh votre Dieu que vous suivrez et c'est lui que vous craindrez... Ce prophète... devra mourir : car il a prêché l'apostasie envers Yahweh ton Dieu, qui vous a fait sortir du pays d'Egypte [16].

La Bible présente encore un troisième genre de prophètes, les *prophètes de vocation.* Comme leur nom l'indique, ce sont des prophètes appelés personnellement par Dieu qui les choisit en vue d'une mission à remplir auprès du peuple. Ordinairement quand on parle de prophètes on désigne les prophètes de vocation. C'est d'eux qu'il sera question dans les pages qui suivent.

LE PROPHETE

Aujourd'hui, quand on parle de prophète, on pense instinctivement à un personnage qui annonce l'avenir. Ce n'est pourtant qu'un aspect du rôle prophétique. *Le prophète est* essentiellement celui qui parle au nom d'un autre, et le prophète israélite *celui qui parle au nom de Yahweh :*

Voilà, je mets en ta bouche mes paroles [17],

dit Dieu à Jérémie, et, dans un autre oracle, il précise :

Tu seras comme ma bouche [18].

---

16. Deut. **13**, 2-6.
17. Jér. **1**, 9.
18. Jér. **15**, 19 ; voir Is. **30**, 2.

La *vocation* est le point de départ de la mission du prophète et donne souvent à son ministère une tonalité propre: le sens de la sainteté divine qui marque si profondément le message d'Isaïe a sa source dans la vision qui lui manifeste l'appel du Dieu trois fois saint [19]. L'emprise divine cependant n'étouffe pas la personnalité du prophète : c'est à travers l'âme du prophète que Dieu transmet son message, et cette âme vibre avec ses souvenirs et ses espérances ; les oracles sont colorés par le milieu, la culture et le tempérament du prophète. Lorsque Amos, le berger, parle de l'avenir messianique, il le décrit sous l'image d'une prospérité agricole extraordinaire [20].

Les prophètes sont des *hommes d'action :* ce sont des conseillers, des prédicateurs, des champions de la cause de Yahweh. Leur vie est une lutte qui demande du courage et n'est pas exempte de périls : Michée, fils de Yimla, est emprisonné, Jérémie subit le même sort et se voit l'objet d'un complot [21]. Mais Yahweh est leur force :

> Va vers tous ceux à qui je t'enverrai
> et tout ce que je t'ordonnerai, dis-le.
> N'aie aucune frayeur devant eux :
> car je suis avec toi pour te protéger [22].

Aussi, sans attendre toujours qu'on vienne les consulter, les prophètes vont sur les places ou au temple, dans les assemblées religieuses, annoncer la parole de Yahweh.

Dans leurs *oracles,* ils jugent les événements à la lumière de Dieu ; ils stigmatisent le culte hypocrite et formaliste, l'idolâtrie, les injustices sociales, la corruption des mœurs... Ils annoncent les châtiments divins, qui, dans la perspective de l'Alliance, n'ont pas leur fin en soi, mais sont destinés à provoquer la conversion du peuple et à le ramener à

---

19. Is. 6.
20. Am. 9, 11-15.
21. 1 Rois 22, 26-27 ; Jér. 20, 2-3 ; 37, 15-16.
22. Jér. 1, 7-8.

Dieu [23]. Enfin ils ouvrent une perspective de restauration et de salut. Ces trois aspects que l'on rencontre dans tous les livres prophétiques sont plus d'une fois réunis dans le même oracle. Le chapitre XI d'Osée en est un exemple typique :

> Quand Israël était enfant, je l'aimai,
>   et de l'Egypte j'appelai mon fils.
> Mais plus je les appelais, plus ils s'écartaient de moi ;
>   ils ont sacrifié aux Baals
>   et fait fumer des offrandes devant les idoles.
> Moi, pourtant, j'apprenais à marcher à Ephraïm,
>   je les prenais dans mes bras ;
>   et ils n'ont pas compris que je prenais soin d'eux !...
>
> Ils reviendront au pays d'Egypte,
>   Assur sera leur roi,
>   puisqu'ils ont refusé de revenir à moi.
> L'épée fera rage dans leurs villes,
>   exterminera leurs enfants,
>   se rassasiera dans leurs forteresses.
> Mon peuple est malade de son infidélité ;
>   ils invoquent Baal,
>   mais il ne les relève pas.
>
> Comment t'abandonnerais-je, Ephraïm,
>   te livrerais-je, Israël ?...
> Mon cœur en moi se retourne,
>   toutes mes entrailles frémissent.
> Je ne donnerai pas cours à l'ardeur de ma colère,
>   je ne détruirai plus Ephraïm,
>   car je suis Dieu, et non pas homme :

---

23. Il faut remarquer que, dans l'annonce des événements, l'imagination du prophète peut avoir sa part : « Eclairé par Dieu sur le fait, le voyant ne l'est pas toujours sur le temps et le mode : de là un élément de conjecture personnelle et d'idéalisation. Ainsi s'expliquent les tableaux relatifs à l'invasion de Sennachérib, Is. 10, 28 ss., à la ruine de Babylone, Is. 13, 47, Jér. 50, 51 ou de Jérusalem, Ez. 9, 1-10, 8. » A. Robert, *Initiation biblique*, 3ᵉ éd., Paris 1954, p. 293.

> au milieu de toi je suis le Saint,
> et je n'aime pas à détruire.
> Ils suivront Yahweh,
>> comme un lion il rugira...
>> et ses fils accourront de l'Occident ;
>> comme un oiseau, ils accourront de l'Egypte,
>> comme une colombe, du pays d'Assur,
>> et je les ferai habiter dans leurs maisons,
>> oracle de Yahweh [24].

Pour frapper l'imagination et souligner son enseignement, le prophète recourt parfois à des *gestes symboliques* qui sont en même temps des prophéties en action et une première réalisation des événements à venir : Isaïe marche nu et déchaussé pour mimer la déportation prochaine des Egyptiens ; Jérémie brise une cruche pour annoncer que Yahweh va briser le peuple et la ville de Jérusalem ; Ezéchiel prend dans la main deux bois portant les noms de Juda et d'Israël pour prédire leur réunion en un seul peuple [25].

Tous les prophètes n'ont pas laissé d'œuvre littéraire, soit qu'ils n'aient rien écrit, soit que leurs auditeurs ou leurs disciples aient négligé de rassembler leurs oracles. On donne le nom de *prophètes écrivains* à ceux dont on possède les recueils prophétiques et, selon la longueur de ceux-ci, on distingue quatre grands prophètes, Isaïe, Jérémie, Ezéchiel et Daniel, et douze petits prophètes, mais cette classification, étant donné son principe, ne présente guère d'intérêt. Les prophètes étant des hommes d'action, leurs ouvrages présentent toutes les caractéristiques des écrits de circonstance : composés essentiellement d'exhortations et d'oracles, ils peuvent aussi contenir des indications historiques et des renseignements sur le ministère du prophète.

---

24. Os. 11, 1-11 — présentation de cet oracle par J. Dheilly, dans *Le peuple de l'Ancienne Alliance*, Paris 1954, pp. 256-257 — voir aussi Os. 2, 4-25.
25. Is. 20, 1-6 ; Jér. 19, 1 ss. ; Ez. 37, 15 ss.

ROLE ET ORIGINALITE DES PROPHETES EN ISRAEL

L'âge d'or du prophétisme israélite va du VIII° au V° siècle avant le Christ. A cette époque, Israël vit un double
drame, un drame religieux, celui de la fidélité du peuple à
Yahweh, et un drame politique, celui de la décadence et de
la déchéance nationale. « Au milieu de ce double drame, les
prophètes ont été comme la *conscience religieuse* du peuple
de Dieu » [26] et les *hérauts de la Révélation.* Sans se lasser,
ils rappellent les exigences de l'Alliance, et, par là, ils sont
les hommes de la tradition, les hommes du passé. Mais
cette tradition n'est pas quelque chose de mort : « champions de la cause de Yahweh », les prophètes soulignent les
divers aspects du Yahvisme et les commandements de l'Alliance en fonction des dangers qui, à leur époque, mena-
cent la religion d'Israël et des circonstances concrètes où
vivent leurs contemporains ; de ce fait, ils sont les hommes
du présent. Enfin, à la lumière de Dieu, ils approfondissent
le message spirituel de l'Alliance, laissent entrevoir le salut à venir et annoncent le Messie — on relève souvent l'importance des prophètes dans le développement de la Révélation et du messianisme — : par là, ils sont les hommes de
l'avenir, les précurseurs de l'Alliance Nouvelle et du
Christ [27]. C'est ainsi que les prophètes ont contribué à la
formation de l'âme d'Israël et à sa préparation à la venue
du Verbe ici-bas.

Divers peuples ont eu des devins et des voyants, diverses religions des prophètes, mais on ne saurait assimiler à ces derniers les prophètes d'Israël : sans minimiser la
valeur religieuse d'hommes vivant hors du peuple juif, on
doit reconnaître le caractère surnaturel du prophétisme
israélite. Il apparaît dans le fait que des hommes comme

---

26. P. Grelot, *Pages bibliques,* Paris 1954, p. 99.
27. Voir J. Dheilly, *op. cit.,* p. 255.

« Amos, Osée, Isaïe, Michée, Jérémie, Ezéchiel, ont prédit plusieurs années à l'avance des événements humainement imprévisibles, qui se sont réalisés... Chez aucun autre peuple de l'antiquité, on ne trouve, comme en Israël, une série de prophéties précises, certainement antérieures aux événements et pleinement confirmées par ceux-ci [28] ». Le surnaturel se remarque surtout à travers la doctrine et la personnalité des prophètes. Constamment en lutte « contre la tendance innée de leur peuple au polythéisme et contre l'influence des religions voisines [29] », ils ont prêché et vécu le monothéisme moral le plus élevé : ni le milieu, ni le génie, non philosophique, des prophètes ne peuvent expliquer la pureté de leur monothéisme, ni la personnalité morale de tous ces envoyés de Dieu. Il faut y voir la marque de l'action de Dieu qui s'exerce en faveur de son peuple.

QUELQUES TYPES DE PROPHETES

Une présentation, même brève, de tous les prophètes demanderait un chapitre particulier, il est cependant indispensable de rappeler quelques grandes figures de prophètes de l'époque royale.

AU IXe SIÈCLE DANS LE ROYAUME D'ISRAËL : ELIE.

Sous le règne d'Achab (874-853) et de sa femme Jézabel, fille du roi de Tyr, la fidélité au Yahvisme se trouve menacée par l'introduction du culte de Baal à Samarie. C'est alors que paraît Elie. Originaire de la région de Galaad, ce prophète, dont le nom *Eli Yahu* (« Mon Dieu, c'est Yahweh ») sonne « comme un cri de ralliement pour la guerre sainte [30] », se dresse pour défendre la religion d'Israël et met

---

28. P. van Imschoot, *Théologie...*, I, pp. **179-180**.
29. *Id.,* p. 181.
30. Jean Steinmann, *La geste d'Elie dans l'Ancien Testament,* dans *Elie le prophète selon les Ecritures et les traditions chrétiennes,* Desclée de Brouwer, 1956, p. 97 ; lire les textes sur le prophète Elie en 1 Rois 17 - 2 Rois 1.

le peuple en demeure de choisir Yahweh à l'exclusion de
Baal :

Si Yahweh est Dieu, suivez-le ; si c'est Baal, suivez-le.

Après sa lutte victorieuse contre les prophètes de Baal,
Elie, pourchassé par Jézabel et resté seul des prophètes de
Yahweh, se rend en pèlerinage aux sources du Yahvisme, à
la montagne de Dieu, l'Horeb, marquant ainsi le lien de son
ministère avec l'Alliance et le situant dans la ligne même
de la religion d'Israël.

On ne connaît pas les circonstances de la vocation d'Elie,
et les oracles de ce prophète n'ont pas été recueillis, mais,
par sa courageuse fidélité au Yahvisme et sa lutte contre
les contaminations religieuses d'origine étrangère, Elie a
mérité d'être considéré dans la tradition biblique comme le
type même du prophète et le symbole du prophétisme : qu'il
suffise de rappeler l'oracle de Malachie sur le retour d'Elie
à l'ère messianique et l'apparition du prophète lors de la
Transfiguration, où Moïse et Elie expriment le témoignage
que la Loi et les Prophètes rendent au Fils de l'homme,
souffrant et glorieux.

AU VIIIe SIÈCLE, DANS LE ROYAUME D'ISRAËL : AMOS ET OSÉE.

AMOS.

Vers 750, sous le règne de Jéroboam II, Amos, berger de
Teqoa près de Bethléem, se rend en Samarie annoncer la
parole de Yahweh. Paysan à l'âme droite et franche, il dénonce avec vigueur les injustices (oppression des petites
gens, corruption des juges), la dissolution des mœurs et le
formalisme du culte [31] ; il prédit le châtiment : le Jour où
Yahweh visitera son peuple sera un jour de ténèbres, et
non pas de lumière [32] ; toutefois, le prophète laisse entrevoir une perspective messianique et, pour la première fois

---

31. Am. 2, 6-8 ; 5, 12 ; 5, 21-22 ; 6, 4 ss.
32. Am. 5, 18.

dans la littérature prophétique, on voit apparaître le thème d'un « reste » de fidèles qui échapperont à la catastrophe et avec lesquels Yahweh continuera son œuvre :

> Haïssez le mal, aimez le bien,
>   et faites régner le droit à la Porte ;
>   peut-être Yahweh, le Dieu Sabaot, prendra-t-il en pitié
>   le reste de Joseph [33].

OSÉE, LE PROPHÈTE DE L'AMOUR MISÉRICORDIEUX

Peu après Amos, Osée dénonce les mêmes abus, mais il insiste davantage sur la vie religieuse et le culte, dont il combat le formalisme :

> C'est l'amour que je veux, non les sacrifices,
>   la connaissance de Dieu, non les holocaustes [34].

Il prédit, lui aussi, la punition d'Israël :

> Yahweh... va désormais se souvenir de leur iniquité
>   et punir leurs péchés :
>   ils retourneront en Egypte [35].

Mais le châtiment servira au salut du peuple choisi : l'épreuve future est un appel de l'amour divin à un retour vers Yahweh. L'amour de Dieu pour Israël est présenté sous le symbole de l'amour conjugal — le chapitre second est l'une des plus belles pages de la Bible consacrées au *thème du Dieu époux* — et sous l'image de l'amour paternel et maternel de Yahweh :

> Je les menais avec de douces attaches,
>   avec des liens d'amour ;
>   j'étais pour eux comme celui qui élève un nourrisson
>   tout contre sa joue,
>   je me penchais sur lui et lui donnais à manger [36].

---

33. Am. 5, 15.
34. Os. 6, 6.
35. Os. 8, 13.
36. Os. 11, 4.

Malgré les infidélités du peuple, Yahweh, qui châtie par miséricorde, pardonnera à Israël repentant :

> Je suis Dieu, et non pas homme.

AU VIIIe SIÈCLE DANS LE ROYAUME DE JUDA : ISAÏE ET MICHÉE.

ISAÏE, PROPHÈTE DU DIEU SAINT MAITRE DE L'HISTOIRE.

Homme cultivé, appartenant à une famille importante de Juda, Isaïe a exercé son ministère à Jérusalem, à partir de 740. Son message est fortement marqué par la *foi en la sainteté de Yahweh*, « le Saint d'Israël ». Il prêche la justice et le dévouement sans lesquels le culte n'est que formalisme vide :

> Vous avez beau multiplier les prières,
> moi, je n'écoute pas.
> Vos mains sont pleines de sang,
> lavez-vous, purifiez-vous.
> Otez votre méchanceté de ma vue...
> Apprenez à faire le bien,
> recherchez le droit,
> secourez l'opprimé,
> soyez justes pour l'orphelin,
> plaidez pour la veuve [37].

Il demande que l'on mette sa *confiance en Dieu seul,* et non dans les alliances politiques qui mettent en danger la fidélité au Yahvisme par les contacts religieux qu'elle provoquent :

> Ce que le peuple craint, ne le craignez pas,
> n'en ayez pas peur.
> C'est Yahweh Sabaot,
> c'est lui qu'il faut sanctifier ;
> c'est lui qu'il faut craindre
> et lui qui doit faire peur [38].

---

37. Is. 1, 15-17 ; 29, 13.
38. Is. 8, 12-13.

Il annonce le châtiment, le Jour de Yahweh, mais prédit la *persistance d'un « reste » qui demeurera fidèle :*

Un reste reviendra, le reste de Jacob, vers le Dieu fort [39].

Isaïe est encore célèbre par ses prophéties messianiques, notamment celles du « livre de l'Emmanuel » (ch. 7-11) : le Messie, descendant de David, fera régner la justice et la paix et répandra la connaissance de Yahweh :

> Un enfant nous est né,
>   un fils nous a été donné,
>   il a reçu l'empire sur les épaules,
>   on lui donne ce nom :
> Conseiller merveilleux, Dieu fort,
> Père éternel, Prince de la Paix.
> Etendu est l'empire
>   dans une paix infinie,
>   par le trône de David
>   et sa royauté,
>   qu'il établit et qu'il affermit
>   dans le droit et la justice [40].

A quelques exceptions près, l'ensemble des trente-neuf premiers chapitres du livre d'Isaïe vient du prophète lui-même ; le reste du livre est constitué par les oracles de disciples, proches ou lointains d'Isaïe qui ont été réunis à son œuvre parce qu'ils appartiennent à la même « école de spiritualité ».

MICHÉE

Contemporain d'Isaïe, Michée a laissé un recueil d'oracles beaucoup moins considérable, mais le livre de Jérémie se fait l'écho de l'impression que son ministère produisit à Jérusalem [41]. Originaire de la campagne judéenne, Michée rappelle Amos par son langage, direct et concret, et par son

---

39. Is. **10**, 21.
40. Is. **9**, 5-6.
41. Jér. **26**, 18-19.

ᴊur des petits. Le début de son livre comprend des ora-
ᴊes sur la ruine de Samarie et le châtiment qui menace Juda, mais le prophète garde l'espérance, et la suite de l'ouvrage contient des oracles de restauration messianique où
il reprend le thème du « Reste » et insiste sur l'origine da-
vidique du Messie :

> Mais toi, (Bethléem) Ephrata,
> le moindre des clans de Juda,
> c'est de toi que me naîtra
> celui qui doit régner sur Israël ;
> ses origines remontent au temps jadis,
> aux jours antiques [42].

AU VIIᵉ SIÈCLE DANS LE ROYAUME DE JUDA : JÉRÉMIE

Parmi les derniers prophètes préexiliens, Jérémie apparaît, à côté de Sophonie, Nahum et Habacuc, comme le plus
important. Né vers 645 d'une famille sacerdotale des environs de Jérusalem, Jérémie est un homme d'une sensibilité très riche et d'une authentique piété. Appelé par Dieu
en 627, il est, dans son ministère, le modèle de la fidélité à
travers la souffrance : attaché à sa patrie, il doit sans cesse
lui annoncer le malheur ; pacifique, il doit lutter continuellement avec des adversaires acharnés ; affectueux, il doit
vivre solitaire et persécuté. Malgré le découragement qui le
guette et, à certaines heures, l'atteint, Jérémie proclame la
parole de Yahweh. Sa vie, apparemment, est un échec, mais,
en réalité, Jérémie a une importance considérable dans
l'évolution religieuse d'Israël, pendant et après l'Exil : il
n'est pas seulement celui qui a prédit le châtiment de Jérusalem, il est celui qui a prêché et vécu une religion vraie et
qui a annoncé l'Alliance Nouvelle. Par là Jérémie a exercé
une grande influence sur la spiritualité des « pauvres de
Yahweh » et a été « le père du Judaïsme dans sa ligne la
plus pure [43] ».

---

42. Mich. 5, 1.
43. Voir le chapitre sur les « pauvres ».

LES PROPHETES D'ISRAEL ET LES CHRETIENS

LE PROPHÉTISME SOUS L'ANCIENNE ET LA NOUVELLE ALLIANCE

Sous l'Ancien Testament, le prophète, suscité directement par Yahweh, exhortait le peuple à se montrer fidèle à l'Alliance dans le concret de sa vie ; il approfondissait le message spirituel de l'Alliance et était l'organe du progrès de la Révélation ; il animait, enfin, l'espérance dans le salut à venir.

Médiateur de l'Alliance nouvelle, le Christ a réalisé en quelque chose de supérieur la Loi et les prophètes :

N'allez pas croire que je sois venu abolir la Loi ou les prophètes : je ne suis pas venu abolir, mais accomplir [44].

En continuité avec les prophètes dont il consacre l'espérance, le Christ n'est cependant pas un simple prophète : il est Dieu lui-même parlant aux hommes, il est la Parole, le Verbe de Dieu incarné. Aussi l'épître aux Hébreux distingue-t-elle, à juste titre, le temps où Dieu parlait par ses prophètes et celui où il parle par son propre Fils. De même le contenu de son message l'emporte infiniment sur celui des oracles prophétiques :

Nul n'a jamais vu Dieu ;
le Fils unique, qui est dans le sein du Père,
lui, l'a fait connaître [45].

Dans l'Eglise fondée par le Christ, on peut affirmer, à la fois, qu'il n'y a plus de prophètes et qu'il y a une mission prophétique. Malgré le charisme de prophétie, plusieurs fois mentionné dans le Nouveau Testament, on peut dire qu'il n'y a plus de prophètes, puisque Jésus a déclaré :

Tout ce que j'ai appris de mon Père, je vous l'ai fait connaître [46].

---

44. Mt 5, 17.
45. Jn 1, 18.
46. Jn 15, 15.

L'Eglise a pourtant une mission prophétique : elle est chargée de faire connaître à toutes les nations la Nouvelle Alliance et de leur rappeler ses exigences en fonction du présent ; elle scrute, siècle après siècle, la Révélation reçue pour mieux en percevoir les richesses ; elle entretient l'espérance de l'achèvement de cette Alliance au moment du retour du Seigneur. En communion avec l'Eglise et ses chefs, successeurs des Apôtres, tout chrétien, à la place qui est la sienne, participe à cette mission prophétique.

LE CHRÉTIEN ET LES PROPHÈTES.

Dans l'accomplissement de cette tâche, le chrétien ne regarde pas les prophètes comme des étrangers, mais il prend conscience de sa solidarité avec ces héros du Yahvisme qui ont exercé une influence décisive en Israël et contribué à la réalisation du dessein de salut dans lequel il est, à son tour, engagé. Il trouve en eux des maîtres spirituels, et la lecture de leurs oracles l'aide à acquérir le sens de Dieu, Saint, Fidèle, Miséricordieux..., et à découvrir l'attitude que l'homme doit adopter en face de lui. Enfin la fidélité intrépide des prophètes à Yahweh et leur souci de confronter les prescriptions de l'Alliance aux problèmes de leur temps constituent un enseignement précieux pour celui qui vit dans l'Alliance Nouvelle.

LECTURES

Amos 2, 6-16 ; 9, 8-15.
Osée 2, 4-25 ; 11, 1-11.
Isaïe 5, 1-7 ; 6, 1-12 ; 7-11.
Michée 5, 1-7.
Jérémie 1 ; 19, 1-20, 6.
Ezéchiel 12, 1-20.

CHAPITRE HUITIÈME

L'EXIL

L'EXIL EN BABYLONIE

Malgré la ruine du royaume de Samarie en 721, les aver-
tissements répétés des prophètes et la tentative de réforme
religieuse entreprise par Josias (622), l'ensemble de la nation juive se montre infidèle à Yahweh et trahit les valeurs
spirituelles dont elle a la charge :

Depuis le jour où vos pères sont sortis du pays d'Egypte jusqu'aujourd'hui, je vous ai envoyé tous mes serviteurs les prophètes, chaque jour, sans me lasser. Mais ils ne m'ont pas
écouté, ils n'ont pas tendu l'oreille, ils ont raidi leur nuque, ils
ont été pires que leurs pères. Tu peux leur dire toutes ces
paroles : ils ne t'écouteront pas. Dis-leur donc : Voilà la nation
qui n'écoute pas la voix de Yahweh son Dieu et ne se laisse pas
instruire. La fidélité n'est plus : elle a disparu de leur bouche [1].

Injustices criantes, débauche, cultes idolâtriques aux
Baals et aux Astartés, sacrifices d'enfants, abandon de
Yahweh [2] sont autant d'infidélités à l'Alliance et rendent
nécessaire une épreuve purificatrice :

---

1. Jér. 7, 25-28.

Voici venir des jours — oracle de Yahweh — où... les cadavres de ce peuple serviront de pâture aux oiseaux du ciel et aux bêtes de la terre, que nul ne chassera. Je ferai cesser dans les villes de Juda et dans les rues de Jérusalem les cris de jubilation et de joie, les appels du fiancé et de la fiancée : car le pays ne sera plus qu'un désert [3].

Le châtiment annoncé se produit : en 598, Nabuchodonosor prend, une première fois, Jérusalem et déporte à Babylone le roi Joiakîn et l'élite de la population ; quelques années plus tard, le nouveau roi, Sédécias, oncle de Joiakîn, manque à son serment envers le souverain chaldéen et conspire contre lui : Nabuchodonosor entreprend une nouvelle campagne, assiège la ville sainte, qu'il prend et met à sac en 587, et cette victoire est suivie d'une seconde déportation [4].

Humainement parlant, c'en est fini de la destinée religieuse du peuple de Dieu : le temple, lieu de la présnce divine et centre du culte d'Israël, est en ruines ; la nation comme telle n'exite plus : la capitale a été rasée par le vainqueur et le dernier roi, Sédécias, a été emmené en captivité après avoir été cruellement châtié de son parjure [5] ; l'élite du peuple doit vivre en exil sur une terre étrangère, loin du pays que Dieu avait donné aux descendants d'Abraham.

En outre *diverses tentations* guettent le peuple en exil. La vue de Babylone, qui, d'après les travaux archéologiques, dépassait « en éclat et en splendeur toutes les capitales de l'Antiquité, y compris Athènes et Rome [6] », est pour la foi des Juifs une épreuve constante : Marduk, le plus grand dieu des Chaldéens, serait-il plus fort que le Dieu d'Israël, dont le peuple a été vaincu et le domaine ravagé? L'étendue

---

2. Jér. 7, 9 ss. ; 7, 18 ss. ; 7, 30 ss.
3. Jér. 7. 32-34.
4. 2 Rois 24, 10-25, 21.
5. 2 Rois 25, 6-7.
6. L. Grollenberg, *op. cit.*, p. 98.

de la catastrophe et la durée de l'exil risquent de porter atteinte à l'espérance des Juifs fidèles : Yahweh n'aurait-il pas abandonné son peuple ? Les sarcasmes des Chaldéens viennent encore aggraver cette tentation de découragement :

> Jusqu'à me rompre les os,
>   mes oppresseurs m'insultent
> en me redisant tout le jour :
>   Où est ton Dieu [7] ?

Enfin, si le contact avec l'étranger peut favoriser l'esprit missionnaire, à l'inverse une réaction d'autodéfense en face du paganisme peut conduire à un rétrécissement de l'horizon religieux aux seules dimensions d'Israël.

Or, « cet exil qui normalement eût dû être une fin, fut une merveilleuse rénovation [8] » et représente un moment très important dans la formation de l'âme d'Israël.

FACTEURS DU RENOUVEAU

Comme il arrive souvent dans l'itinéraire religieux des personnes, l'*épreuve* est l'occasion d'un renouveau spirituel. Privés de ce qui faisait sur le plan humain leur sécurité, bafoués dans leur fierté nationale, humiliés dans leurs institutions religieuses, ces Israélites, hier insouciants et satisfaits d'eux-mêmes, s'ouvrent, aujourd'hui, à Dieu : exilés en terre étrangère, ils se recueillent, méditent et se retournent vers Yahweh.

Dans sa détresse, loin de la ville sainte et du temple, Israël garde la *Parole de Yahweh :* la loi divine, les anciennes traditions de l'histoire du peuple choisi, les oracles des prophètes et les premiers recueils de psaumes représentent

---

7. Ps 42, 11.
8. A. Gelin, *Problèmes d'Ancien Testament,* Lyon 1952, pp. 93-94.

pour lui un bien inestimable et vont l'aider à revenir vers Dieu.

Secondés par l'activité discrète, mais efficace, des prêtres, les animateurs de ce retour qui permettront à Israël désemparé de ne pas sombrer dans le désespoir, de retrouver le sens de sa vocation et d'y correspondre sont les *prophètes :* ils vont remplir auprès de leurs contemporains le rôle du mystérieux voyageur auprès des disciples d'Emmaüs, leur découvrir le sens des Ecritures et le rôle providentiel de l'épreuve [9].

GUIDES RELIGIEUX D'ISRAEL

Trois prophètes ont marqué de leur influence la communauté des exilés : Jérémie, Ezéchiel et le second Isaïe.

JÉRÉMIE

Jérémie n'a jamais été envoyé à Babylone, il fut cependant le premier guide religieux des exilés : les lettres qu'il leur adresse de Jérusalem, après la première déportation, les invitent à écouter la parole de Yahweh, sans se bercer d'illusions au sujet d'un retour imminent [10] ; Ezéchiel et le second Isaïe reprennent, en les développant, des thèmes centraux de la prédication jérémienne, l'espérance, l'Alliance Nouvelle, la religion intérieure enseignée par Yahweh [11] ; dans les cercles d'exilés, on lit et on se nourrit des oracles du prophète : c'est là qu'il est assimilé pour la première fois.

EZÉCHIEL

Fils de Buzi, Ezéchiel appartient comme Jérémie au milieu sacerdotal : il était prêtre à Jérusalem, ce qui expli-

---

9. *Id.,* p. 94 et Luc **24**, **25** ss.
10. Jér. 29.
11. A. Gelin, *Jérémie,* Paris 1952, pp. 180-181.

que l'importance du thème du temple dans son œuvre et qui, conjointement avec la vision rapportée au début du recueil [12], est à l'origine du sens du sacré et de la gloire divine qui se manifeste dans ses oracles.

Emmené à Babylone en 598 avec le premier groupe d'exilés, il est appelé par Dieu en 593. Il commence par annoncer la ruine de Jérusalem en châtiment des fautes d'Israël [13], mais, après le sac de la ville en 587, il devient le prophète de l'espérance : « Pendant plus de vingt ans, cet homme extraordinaire fut le centre de la prédication enflammée qui sauva la conscience d'Israël d'une tourmente où toute autre conscience nationale eût péri [14]. »

Il s'efforce de *ranimer la foi* vacillante de ses compatriotes : Yahweh va sanctifier son nom et sauver son peuple [15]. Dans la vision des ossements desséchés, « ce croyant imperturbable », comme l'appelle Renan [16], proclame la certitude du salut :

Fils d'homme, ces ossements, c'est toute la maison d'Israël. Les voilà qui disent : « Nos os sont desséchés, notre espérance est détruite, c'en est fait de nous. » C'est pourquoi, prophétise. Tu leur diras : Ainsi parle le Seigneur Yahweh. Voici que j'ouvre vos tombeaux et je vais vous faire remonter de vos tombeaux, mon peuple, et je vous reconduirai sur le sol d'Israël... Et je mettrai mon esprit en vous, et vous vivrez, et je vous installerai sur votre sol, et vous saurez que moi, Yahweh, j'ai dit et je fais, oracle de Yahweh [17].

A ceux qui seraient tentés de se croire définitivement abandonnés par Yahweh à cause des fautes de la nation, Ezéchiel enseigne la doctrine de *la responsabilité indivi-*

---

12. Ez. **1**, 3-28.
13. Ez. 4-12.
14. E. Renan, *Histoire du peuple d'Israël,* Paris 1891, t. 3, p. 393.
15. Ez. **36**, 22 ss.
16. *Op. cit.,* p. 403.
17. Ez. **37**, 11-14.

duelle, explique le *sens du châtiment* et affirme la *possibilité pour chacun de retrouver la faveur de Dieu.* A l'encontre de la conception de la solidarité dans le châtiment, Ezéchiel soutient le principe de la rétribution individuelle :

> La parole de Yahweh me fut adressée en ces termes : Qu'avez-vous à répéter ce proverbe au pays d'Israël :
>
> > Les pères ont mangé des raisins verts,
> > les dents des fils sont agacées ?
>
> Par ma vie, oracle du Seigneur Yahweh, vous n'aurez plus à répéter ce proverbe en Israël : Voici : toutes les vies sont à moi, aussi bien la vie du père que celle du fils, elles sont à moi. Celui qui a péché, c'est lui qui mourra [18].

Chacun est responsable de ses actes et en portera les conséquences ; mais chacun a aussi la possibilité, même en terre d'exil, de retrouver la faveur de Dieu par la conversion qui est le vrai but du châtiment :

> Si le méchant renonce à tous les péchés qu'il a commis, observe toutes mes lois et pratique le droit et la justice, il doit vivre, il ne mourra pas... Convertissez-vous et détournez-vous de tous vos péchés, qu'il n'y ait plus pour vous d'occasion de mal. Débarrassez-vous de tous les péchés que vous avez commis contre moi et faites-vous un cœur nouveau et un esprit nouveau. Pourquoi vouloir mourir, maison d'Israël ? Je ne prends pas plaisir à la mort de qui que ce soit, oracle du Seigneur Yahweh. Convertissez-vous et vivez [19].

L'importance de l'œuvre d'Ezéchiel vient aussi de ce qu'il a contribué efficacement à *regrouper les exilés autour du sacerdoce, de la Loi et du Temple* idéal, qu'il décrit dans ses derniers oracles. Ce regroupement qui, par lui-même, ne favorisait pas l'esprit missionnaire et risquait, si l'on venait à accorder le primat à l'observance extérieure sur l'attitude intérieure, de donner corps à une société un peu fermée, était nécessaire à la reprise et au soutien de la vie

---

18. Ez. 18, 1-4.
19. Ez. 18, 21, 30-32.

religieuse d'Israël. C'est alors qu'« à défaut de frontières matérielles et d'une organisation politique ferme, se trouve constitué un ensemble législatif dont Ezéchiel est, pour le moins, l'inspirateur, et qui deviendra comme la charte du Judaïsme dispersé... on peut sans crainte de se tromper parler d'Ezéchiel comme de l'un des fondateurs ou des inspirateurs de la communauté juive post-exilienne [20]. »

Comme Jérémie, Ezéchiel *annonce l'Alliance Nouvelle.* Yahweh se laissera encore chercher par la maison d'Israël. Lui-même opérera, par son esprit, la purification et le renouvellement des cœurs, et ceci corrige les textes précédemment cités où le prophète semblait accorder à l'homme l'initiative de la conversion :

Je répandrai sur vous une eau pure et vous serez purifiés ; de toutes vos souillures et de toutes vos idoles, je vous purifierai. Et je vous donnerai un cœur nouveau, je mettrai en vous un esprit nouveau, j'ôterai de votre chair le cœur de pierre et je vous donnerai un cœur de chair. Je mettrai mon esprit en vous et je ferai que vous marchiez selon mes lois et que vous observiez et suiviez mes coutumes [21].

Dans un oracle repris par Jésus dans l'allégorie du bon Pasteur, Yahweh annonce qu'il sera lui-même pasteur de son peuple et suscitera son serviteur David comme prince messianique :

Ainsi parle le Seigneur Yahweh :
Voici que j'aurai soin moi-même de mon troupeau, et je le passerai en revue... C'est moi qui ferai paître mes brebis et c'est moi qui les ferai reposer, oracle du Seigneur Yahweh...
Je susciterai pour le mettre à leur tête un pasteur qui les fera paître, mon serviteur David : c'est lui qui les fera paître et sera pour eux un pasteur. Moi, Yahweh, je serai pour eux un Dieu et mon serviteur David sera prince au milieu d'eux [22].

---

20. P. Auvray, *Ezéchiel,* Paris 1947, pp. 158-159.
21. Ez. 36, 25-27 et 37.
22. Ez. 34, 11, 15, 23-24.

Dieu conclura une Alliance Nouvelle :

Mon serviteur David régnera sur eux ; il n'y aura qu'un seul pasteur pour eux tous ; ils obéiront à mes coutumes, ils observeront mes lois et les suivront. Ils habiteront le pays que j'ai donné à mon serviteur Jacob, celui qu'ont habité vos pères... Je conclurai avec eux une alliance pacifique, ce sera avec eux une alliance éternelle... Je ferai ma demeure au-dessus d'eux, et je serai leur Dieu et ils seront mon peuple. Et les nations sauront que je suis Yahweh qui sanctifie Israël, lorsque mon sanctuaire sera parmi eux à jamais [23].

LE SECOND ISAÏE

L'œuvre de rénovation religieuse entreprise par Ezéchiel est poursuivie, vers la fin de l'exil, par un lointain disciple d'Isaïe. C'est l'époque où les victoires de Cyrus sur les divers peuples de l'Orient éveillent chez les exilés une grande espérance. C'est aussi le moment où le second Isaïe annonce la fin de l'exil et prédit l'avènement universel et définitif du règne de Yahweh : son message a été recueilli dans le « livre de la consolation d'Israël [24] ».

A ceux qui souffrent de la durée de l'épreuve le second Isaïe redonne l'espérance :

Consolez, consolez mon peuple,
  dit votre Dieu.
Parlez au cœur de Jérusalem
  et criez-lui :
Que son service est fini,
  que son péché est expié [25].

Cyrus est l'instrument choisi par Dieu pour réaliser ses desseins [26] : comme au jour où il fit monter Israël du pays d'Egypte, *Yahweh va délivrer son peuple* :

---

23. Ez. 37, 24-28.
24. Is. 40-55.
25. Is. 40, 1-2.
26. Is. 41, 1-4 ; 45, 1-6, 12-13.

> Une voix crie : « Préparez dans le désert
>   une route pour Yahweh.
> Tracez droit dans la steppe
>   un chemin pour notre Dieu... »
> Ainsi parle Yahweh,
>   qui fit une route à travers la mer,
>   un sentier au milieu des eaux formidables ;
>   qui mit en campagne chars et chevaux
>   et aussi une formidable armée,
>   et ils se sont couchés pour ne plus se relever...
> Voici que je vais faire du nouveau
>   qui déjà paraît, ne l'apercevez-vous pas ?
> Oui je vais tracer une route dans le désert,
>   des sentiers dans la solitude [27].

Devant cette communauté d'exilés que le malheur, les affinités nationales et la lutte pour la foi tendaient à replier sur elle-même, le second Isaïe ouvre des *perspectives universalistes* :

> Rassemblez-vous et venez, approchez-vous tous ensemble,
>   survivants des nations !...
> Ne suis-je pas Yahweh ?
> Il n'y a pas d'autre Dieu que moi,
> Dieu juste et Sauveur,
>   et nul autre en dehors de moi.
> Tournez-vous vers moi pour être sauvés,
>   tous les confins de la terre,
>   car je suis Dieu sans égal [28] !

Le livre de la consolation contient plusieurs oracles appelés oracles du Serviteur [29] : ils se rapportent à un mystérieux « Serviteur de Yahweh », juste souffrant, dont certains traits rappellent Jérémie mais dont le portrait et la mission sont sans commune mesure avec les personnages

---

27. Is. 40, 3 ; 43, 16-19.
28. Is. 45, 20-22.
29. Références au ch. 10, n. 28.

de l'Ancien Testament. Ce juste expie pour les péchés des autres et intercède en faveur des pécheurs ; sa mort elle-même est suivie d'une glorification et d'une grande fécondité spirituelle : il y a là une leçon très importante sur la souffrance et la mort vivificatrices et une prophétie qui ne trouvera qu'en Jésus-Christ sa pleine réalisation. Ces oracles qui constituent un sommet doctrinal dans l'Ancien Testament ne sont pas reconnus par tous les exégètes comme l'œuvre du second Isaïe : plusieurs les attribuent à un de ses disciples qui les aurait écrits dans les années qui ont suivi le retour de l'exil [30].

L'EXIL DANS L'HISTOIRE RELIGIEUSE D'ISRAEL

L'importance de l'exil sur le plan religieux est capitale : cette période, a-t-on écrit, est la clef de l'Histoire Sainte [31].

L'exil est d'abord l'occasion, pour la nation éprouvée, de procéder à un véritable *examen de conscience*. C'est ainsi que le dernier rédacteur du livre des Rois, écrivant après la ruine de Jérusalem, examine l'histoire, en regard des principes de l'Alliance, pour amener Israël à désavouer ses fautes et à préparer par la pénitence la venue de temps meilleurs [32]. Les Lamentations, littérairement postérieures, reflètent cette attitude spirituelle : elles expriment la désolation devant les ruines du temple et de Jérusalem, le repentir des fautes qui ont conduit à la catastrophe de 587, et la confiance en Yahweh.

L'exil est aussi le temps où Israël *reprend conscience de sa vocation :* « A l'aide de ses écritures regroupées et pa-

---

30. A. Robert, Cours sur *Les psaumes*, p. 46 ; voir aussi plusieurs opinions citées par A. Gelin, art. *Messianisme*, D.B.S.c. 1194 ss.

31. A. Gelin dans *Rencontres bibliques*, Lille 1954, p. 73.

32. A. Robert, *Initiation biblique*, 3ᵉ éd., Paris 1954, p. 296.

33. A. Gelin, *Problèmes...*, p. 94.

rachevées, relues et commentées, Israël reprit conscience de sa vocation : de même qu'un candidat au sacerdoce, à la veille des grands engagements, regarde sa vie, ainsi le peuple de Yahweh relut son histoire : dans l'une et l'autre Dieu ne s'est-il pas impliqué [33] ? »

Dans le dépouillement de l'exil, il s'opère également une *purification et un approfondissement de la foi d'Israël*. Les prophètes insistent sur la sincérité dans la pitié et sur la transformation des cœurs ; ils affirment la possibilité pour chacun de trouver Dieu et appellent à la conversion ; ils soulignent le caractère personnel de la responsabilité et proclament le principe de la rétribution individuelle, solution incomplète tant qu'elle reste limitée à l'horizon temporel, mais supérieure à la conception, si répandue, de la solidarité dans le châtiment. Ce progrès intérieur amène à se représenter le peuple de Yahweh avant tout comme le peuple de ceux qui sont fidèles à l'Alliance. En outre, la vie en terre païenne conduit à insister sur l'aspect universaliste du salut.

Après la ruine du temple et la disparition des structures nationales, la communauté se regroupe autour des Ecritures et du sacerdoce, ce qui sera l'un des caractères de la période suivante : *le peuple de Dieu « cesse d'être une nation pour devenir une communauté religieuse* [34] ».

Enfin l'intelligence de l'aspect providentiel de l'épreuve et le développement du thème de la souffrance et de la mort vivificatrices préparent à la révélation de la Sagesse de Dieu [35] et à la venue du Messie souffrant.

L'exil a permis la formation d'une élite qui animera la communauté, lors du retour en Palestine, et assurera la continuité de la vocation d'Israël. Le second Isaïe annonce ce retour sous les traits d'un nouvel Exode, mais celui-ci ne

---

34. Dom G. Charlier, *La lecture chrétienne de la Bible*, 5e éd., Maredsous, p. 211.
35. 1 Cor. 1, 17 ss.

sera pas une pure répétition du premier : le peuple qui rentre de Babylone, le « Reste » d'Israël, est, en effet, porteur d'une révélation plus avancée, d'une foi plus profonde, d'une religion plus spirituelle que celles de ses ancêtres au sortir de l'Egypte. L'exil marque une nouvelle et importante étape dans la réalisation du mystère du salut.

L'EXIL, SOURCE D'ENSEIGNEMENT POUR LE CHRETIEN

Les passages bibliques consacrés à l'exil permettent au chrétien de connaître une période importante du dessein de Dieu, et ceci devrait le porter à en faire la lecture. Mais l'intérêt qu'elle présente dépasse celui d'une documentation historique, fût-elle d'ordre religieux. Tout ce qu'il y a de positif dans l'enseignement des prophètes est valable pour le chrétien, et il doit en tenir compte dans sa vie (voir ce qui a été dit précédemment de l'approfondissement de la foi d'Israël). Bien plus, les oracles sur l'Alliance Nouvelle et sur le Serviteur de Yahweh le concernent directement et lui apparaissent dans toute leur richesse, puisqu'il vit dans cette Alliance et connaît la Passion et la Résurrection du Christ. Enfin, l'exil est par lui-même un enseignement, car Dieu se révèle dans sa conduite à l'égard de son peuple : il ne veut pas la mort du pécheur, mais sa conversion et sa vie, et, lorsqu'il envoie l'épreuve ou le châtiment, c'est en vue du progrès spirituel de ceux qui en sont l'objet. Le Dieu de l'exil est celui dont saint Paul écrira : « Avec ceux qui l'aiment, Dieu collabore en tout pour leur bien [36] », et la leçon de l'exil laisse présager la leçon du mystère de la croix, celle de la souffrance qui conduit à la vie : « Ne fallait-il pas que le Christ endurât ces souffrances pour entrer dans sa gloire [37] ? »

---

36. Rom. 8, 28.
37. Lc 24, 26.

LECTURES

Jérémie 7, 1-8, 3 ; 29, 1-32.
2 Rois 24, 10-25, 30.
Ezéchiel 1, 1-3, 21 ; 6 ; 18 ; 34 ; 36 ; 37 ; 39, 21-29 ; 47, 1-12.
Isaïe 40-55.
Psaumes 42 ; 137.

Chapitre Neuvième

LES SAGES D'ISRAEL

Parmi les hommes qui ont marqué la pensée religieuse d'Israël après l'exil, les sages tiennent une place considérable. Pour l'apprécier, il faut situer les sages d'Israël par rapport aux sages de l'Ancien Orient et à l'ensemble de l'histoire du peuple de Dieu, puis, après avoir tracé le portrait du sage israélite, parcourir les écrits de sagesse pour découvrir leur apport doctrinal dans le développement de la Révélation.

LES SAGES DE L'ANCIEN ORIENT

Beaucoup de peuples ont eu des sages et la littérature sapientielle n'est pas un monopole du peuple de Dieu : la Bible fait état de la sagesse de l'Egypte, de Babylone et des « fils de l'Orient », et « les Grecs eux-mêmes ne cachaient pas leur admiration devant cette sagesse antique, à laquelle ils reconnaissaient avoir emprunté les premiers éléments de leur civilisation [1] ».

---

1. H. Renard, dans *La sainte Bible*, t. 6, *Les livres sapientiaux*, Paris 1946, p. 16.

Dans l'*ancienne Egypte,* la littérature de sagesse a eu une fortune considérable et forme une tradition ininterrompue depuis l'Ancien Empire (xxviii° siècle avant J.-C.) jusqu'à l'époque gréco-romaine. Elle se présente sous forme de sentences ou d'instructions, témoins ces extraits de la sagesse d'Aménémopé (x° ou ix° siècle) :

> Garde-toi de dépouiller un misérable
> et d'être fort contre un faible.

> Ne fais pas ton ami d'un homme irascible
> et ne t'approche pas de lui pour causer avec lui.

> Un scribe versé dans son art
> se trouve digne d'être à la cour.

> Ne peine pas pour gagner davantage,
> (quand) tu possèdes intact ce dont tu as besoin [2].

C'est une littérature d'école destinée surtout aux scribes: elle vise « à former des sujets capables de se bien conduire dans la vie, c'est-à-dire de penser juste et d'agir honnêtement à la cour et en société [3] ». Les livres de sagesse sont des traités de savoir-vivre où se rencontrent la morale et l'expérience, la psychologie et la politesse, l'art de bien-vivre et la coutume : il y règne « un esprit qui n'est autre que l'opinion commune des gens bien-pensants, une des assises de la vieille civilisation égyptienne [4] ». Cette sagesse est d'orientation pratique, mais « la réflexion sur le monde et le comportement humain y occupe une place indispensable [5] ». De plus, si les traités de sagesse n'exposent pas *ex professo* le problème religieux, l'idée religieuse elle-même n'en est pas absente [6] et la divinité y est souvent évoquée :

---

2. Cité par A. Lods, *Histoire de la littérature hébraïque et juive,* Paris 1950, p. 657.
3. E. Drioton, dans *Histoire des religions,* t. 3, Paris 1955, p. 26.
4. *Id.*
5. P. Grelot, *Introduction aux Livres Saints,* p. 105.
6. A. Robert, *Initiation biblique,* p. 300.

Si tu laboures avec profit dans un champ et que Dieu te
donne l'abondance,
ne rassasie pas ta bouche chez tes voisins.
C'est Dieu qui donne l'avancement :
ceux qui jouent des coudes n'aboutissent à rien [7].

En *Babylonie*, la sagesse trouve son expression dans la
maxime, la fable et quelques pièces plus philosophiques
comme « le poème du juste souffrant » qui a été trouvé
dans la bibliothèque d'Assurbanipal : la sagesse babylonienne pose surtout « le problème de la souffrance, et le
ton est pour l'ordinaire celui d'un pessimisme profond [8] ».

Etant donné la situation géographique et politique de la
Palestine en contact avec les grands empires voisins, et
l'antiquité de la sagesse égyptienne et babylonienne, on peut
affirmer sans crainte d'erreur que le *genre* biblique de sagesse est d'origine étrangère. En plusieurs cas, il semble difficile de ne pas admettre des contacts littéraires entre cette
sagesse étrangère et la sagesse biblique : on peut comparer Proverbes 22, 17-23, 11 à la sagesse d'Aménémopé, évoquer le thème égyptien classique de la satire des métiers
à propos de Eccli. 38, 24 ss., faire des rapprochements entre Tobie et la sagesse d'Ahiqar, l'Assyrien. Certains éléments de la sagesse non-israélite pouvaient, du reste, être
repris d'une manière valable et intégrés dans la sagesse biblique. Malgré certains caractères communs, celle-ci a cependant une physionomie originale car elle est pénétrée par
la lumière du Yahvisme et sa morale est profondément religieuse.

LES SAGES EN ISRAEL

Les premiers fruits de la sagesse israélite, dictons, pro-

---

7. Voir E. Drioton, *op. cit.*, pp. 27-28 ; l'auteur fait le relevé
des textes de sagesse égyptienne où est employé le mot Dieu.
8. A. Robert, *op. cit.*, p. 301.

verbes, fables, sont sans doute très anciens : l'apologue de
Yotam rapporté au livre des Juges [9] en est l'un des premiers
témoins. Mais l'apparition de la classe des sages et la formation de la littérature de sagesse datent de Salomon : à
sa cour, conçue sur le modèle des cours royales étrangères,
on voit se multiplier les sages parmi les fonctionnaires
chargés de la rédaction des actes officiels et les conseillers ; ils suivent l'exemple du roi dont la sagesse était
célèbre et dont la tradition biblique rappelle l'activité littéraire :

La sagesse de Salomon fut plus grande que la sagesse de tous
les fils de l'Orient et que la sagesse de l'Egypte... Sa renom-
mée s'étendait à toutes les nations d'alentour. Il prononça trois
mille sentences et ses cantiques étaient au nombre de mille
cinq... On vint de tous les peuples pour entendre la sagesse de
Salomon et il reçut un tribut de tous les rois de la terre, qui
avaient ouï parler de sa sagesse [10].

Rien ne permet de mettre en doute la tradition qui fait
de Salomon « l'initiateur de la littérature sapientielle en
Israël [11] » et qui explique pourquoi le livre des Proverbes,
dont certaines maximes peuvent remonter jusqu'à lui, a été
présenté sous son patronage.

On a relevé dans les écrits d'Isaïe, de Jérémie et d'Ezéchiel « un esprit, et même une technique des auteurs de Sagesse [12] », cependant la grande période sapientielle date
d'après l'exil : à ce moment apparaissent les principaux
livres de sagesse, les Proverbes, Job, l'Ecclésiaste, l'Ecclésiastique, la Sagesse et les psaumes sapientiaux. Le Cantique des Cantiques, rangé parmi les livres sapientiaux, n'est
pas à proprement parler un ouvrage de sagesse : son mes-

---

9. Jg 9, 8-15.
10. 1 Rois 5, 9-14.
11. H. Renard, *op. cit.*, pp. 10-11.
12. J. Dheilly, *Le peuple de l'Ancienne Alliance*, p. 396 : l'auteur cite Is. 9, 5 ; 28, 23-29 ; Jér. 4, 22 ; Ez. 18.

sage, qui rappelle à Israël, épouse de Yahweh, la fidélité à l'Alliance, est dans la ligne du prophétisme.

LE SAGE ISRAELITE

Le sage est un homme avisé et réfléchi qui s'intéresse à tout ce qui concerne l'éducation et l'instruction du peuple et de la jeunesse. C'est avant tout un éducateur et un conseiller : son activité est bien caractérisée par rapport à celles du prêtre et du prophète dans le livre de Jérémie :

> L'instruction ne fera pas défaut chez le prêtre,
>   ni le conseil chez le sage,
>   ni la parole chez le prophète [13].

Le sage propose son enseignement plus qu'il ne l'impose: le ton en est calme et montre le désir de persuader et de faire passer cet enseignement au plan de la conviction personnelle. Le sage donne ses conseils à qui les demande ou les accepte : la forme en est souvent impersonnelle, parfois interrogative ou énigmatique pour éveiller la curiosité et provoquer la réflexion.

Trois traits complémentaires marquent la physionomie du sage israélite. D'une part, il a le *sens du réel :* c'est un homme de bon sens qui observe et réfléchit. Ses œuvres fourmillent d'observations concrètes et pertinentes :

> Le railleur n'aime pas qu'on le reprenne,
>   avec les sages il ne va guère.
>
> « Mauvais ! Mauvais ! » dit l'acheteur,
>   mais en partant il se félicite.
>
> Le paresseux dit : « Un lion dehors !
>   dans la rue je vais être tué [14]. »

---

13. Jér. 18, 18.
14. Prov. 15, 12 ; 20, 14 ; 22, 13.

Constamment le sage se réfère à l'expérience et aux conditions concrètes de vie.

D'autre part, il a la *foi en Dieu, sage et tout-puissant* : nuit et jour, il médite la Loi de Yahweh et s'efforce de découvrir la sagesse divine qui se manifeste dans la création et dans l'histoire du peuple de Dieu [15]. Malgré la place qui est faite à l'expérience dans les traités de sagesse on ne peut parler à leur propos de « morale laïque », et, si leur enseignement prend parfois une allure impassible, ce n'est qu'une attitude adoptée par « conformisme aux lois du genre » : « Même dans les plus anciens recueils des Proverbes, les maximes, sous leur apparence neutre, sont profondément religieuses et, de temps en temps, se rattachent discrètement à la Torah [16] » :

> Mieux vaut peu avec la crainte de Yahweh
> qu'un trésor avec l'inquiétude.

> Le cœur de l'homme cherche sa voie,
> mais c'est Yahweh qui affermit ses pas [17].

Le sage ne se contente pas de porter un jugement de valeur sur le monde à la lumière de la foi, il *écrit en vue d'une vie* : ceci vaut non seulement des conseils pratiques qu'il donne, mais aussi de la vision du monde qu'il transmet et qui a nécessairement ses répercussions sur le comportement quotidien, et de ce qu'il découvre de la sagesse divine dans la création, l'histoire d'Israël et surtout la Loi, car la sagesse pour l'homme est précisément d'imiter Dieu en se montrant fidèle à la Loi et à son esprit.

Tous ces traits se retrouvent dans la description du scribe faite par Ben Sira :

> Celui qui applique son âme
> et sa méditation à la Loi du Très-Haut.

---

15. Sag. 10-19.
16. A. Robert, *op. cit.*, p. 301.
17. Prov. 15, 16 ; 16, 9.

Il scrute la sagesse de tous les anciens,
  il consacre ses loisirs aux prophéties.
Il conserve les récits des hommes célèbres,
  il pénètre dans les détours des paraboles.
Il cherche le sens caché des proverbes,
  il s'intéresse aux secrets des paraboles.
Il prend son service parmi les grands,
  on le remarque en présence des chefs.
Il voyage dans les pays étrangers,
  il a fait l'expérience du bien et du mal parmi les hommes.
Dès le matin, de tout son cœur,
  il se tourne vers le Seigneur, son créateur ;
  il élève son âme vers le Très-Haut,
  il ouvre la bouche pour la prière,
  il supplie pour ses propres péchés.
Si telle est la volonté du Seigneur grand,
  il sera rempli de l'esprit d'intelligence.
Lui-même répandra ses paroles de sagesse,
  dans sa prière il rendra grâce au Seigneur.
Il acquerra la droiture du jugement et de la connaissance,
  il méditera ses mystères cachés.
Il fera paraître l'instruction qu'il a reçue
  et mettra sa fierté dans la loi de l'Alliance du Seigneur.

Eccli. **39**, 1-8.

ECRITS DES SAGES

La réflexion des sages est centrée sur la condition de l'homme et sa destinée. Il est particulièrement intéressant de suivre, à travers leurs écrits, les progrès de la Révélation au sujet du problème de la rétribution. Jusqu'au second siècle, en effet, malgré l'espoir, plusieurs fois affirmé par les justes, de vivre pour toujours avec Dieu et en dépit de l'antique conception du « shéol », séjour où les morts mènent loin de Dieu une existence diminuée et presque léthargique, l'immortalité de l'âme et la rétribution personnelle dans l'au-delà n'avaient pas été clairement révélées : né et grandi en Israël, « un mouvement puissant et continu entraînait l'âme juive vers la croyance à l'immortalité [18] », il n'avait pas encore atteint son terme définitif.

LES PROVERBES

Le plus ancien recueil de sagesse est le livre des Proverbes, ainsi appelé à cause des nombreuses sentences qu'il contient. Il représente plusieurs siècles de tradition sapientielle car il est constitué de plusieurs recueils réunis, vers 480, par un auteur anonyme qui leur a donné comme préface un bel exposé doctrinal sur la sagesse (ch. 1-9). Le fond de l'ouvrage est constitué par deux collections mises sous le patronage de Salomon et remontant peut-être effectivement à son époque (ch. 10-22, 16 et ch. 25-29); d'autres sections sont une remise en œuvre, dans une perspective plus directement humaine et expressément yahviste, d'une sagesse d'origine étrangère (22, 17-23, 11 et la sagesse d'Aménémopé) [19]. Dans les collections « salomoniennes », l'auteur se propose de faire connaître les moyens de parvenir au bonheur. Les horizons sont encore terrestres et certaines considérations bien humaines peuvent étonner, mais « ce bonheur est essentiellement le fruit de la rectitude morale et une récompense divine [20] » : la crainte de Yahweh, au sens religieux du terme, est, pour les auteurs des Proverbes, « le premier et le principal moyen de parvenir au bonheur [21] », le livre pose ainsi le principe qui *relie le bon-*

---

18. E. Osty, *Le livre de la Sagesse,* Paris 1950, p. 25. — Parmi les textes où les justes affirment leur espérance de vivre pour toujours avec Dieu, on remarquera en particulier les psaumes 49 et 73. Les psalmistes expriment leur assurance d'être reçus auprès de Dieu, mais ne donnent aucune précision sur les modalités de réalisation de leur espérance. E. Jacob, *Théologie de l'Ancien Testament*, Neuchâtel, 1955, p. 249.

19. A. Robert, *op. cit.,* pp. 191-192.

20. *La sainte Bible*, Maredsous, 1950. p. XXX.

21. A. Lods, *op. cit.,* p. 650.

*heur humain à la Révélation et aux rapports surnaturels
entre l'homme et Dieu* [22].

JOB (vers 450).

L'auteur de Job aborde un aspect plus difficile du problème de la rétribution. Que Job soit un personnage purement légendaire ou un héros oriental dont on gardait le souvenir [23], il est clair que l'auteur n'a pas écrit pour en faire l'histoire : pour s'en convaincre il suffit de relever dans le prologue la manière très artificielle dont les fléaux sont présentés et le caractère factice de divers éléments du récit ; on lit, par exemple, au sujet de l'arrivée des amis de Job :

S'asseyant à terre près de lui, ils restèrent ainsi durant sept jours et sept nuits. Aucun d'eux ne lui adressa la parole, au spectacle d'une si grande douleur [24].

Le but de l'auteur est de poser *le problème de la souffrance du juste :* pour cela il met en scène Job, type de juste souffrant ; il présente un homme exceptionnellement juste, qui, au jugement de Yahweh, « n'a point son pareil sur la terre [25] », plongé dans une extrême détresse, et grâce au procédé des dialogues il fait apparaître les divers aspects du problème et tout ce qu'il a de déconcertant pour l'intelligence humaine. Ezéchiel avait insisté sur la rétribution individuelle et l'auteur des Proverbes avait présenté le bonheur comme le fruit de la rectitude morale : dans cette perspective, où situer la souffrance du juste ? elle est pourtant un fait qui s'inscrit dans la réalité quotidienne.

Le cas de Job montre que *le principe de la rétribution*

---

22. Voir H. Cazelles, art. *Béatitude. — L'idée de béatitude dans la Sainte Ecriture,* dans *Catholicisme,* c. 1344.
23. Ez. 14, 14.
24. Job 2, 13.
25. Job 1, 8.

temporelle, selon lequel la *souffrance* est le *châtiment d'un péché* personnel, est *insuffisant*. Job essaie de connaître le secret de la conduite de Dieu à son égard, mais, à la fin du discours de Dieu, il comprend qu'il doit s'incliner : l'homme qui ne peut saisir les merveilles de la nature, ne peut pénétrer les voies de Dieu, il doit seulement se soumettre et adorer la sagesse divine. *«Le sens total de la souffrance est un mystère que Dieu se réserve* »; à ce stade de la Révélation, l'homme sait seulement *« qu'elle a un sens divin, qui concilie l'infinie justice et la bonté du Créateur* [26] ».

L'ECCLÉSIASTE (vers 250)

Avec l'Ecclésiaste on constate un nouveau progrès. L'auteur est un maître de sagesse : Qohélet (l'Ecclésiaste) signifie l'homme de l'assemblée, le docteur. C'est un sage plein d'expérience qui fait part de ses réflexions dans un recueil de pensées : on a parlé à son sujet de La Rochefoucauld des temps anciens.

Job n'aurait pas élevé de plainte si la rétribution temporelle lui avait semblé effective, l'Ecclésiaste est beaucoup plus profond : c'est au cœur du bonheur humain qu'il n'a pas trouvé la béatitude. Il affirme avec une netteté qui ne sera pas dépassée dans la Révélation, *l'insuffisance du bonheur terrestre*. L'Ecclésiaste proclame « la faillite des plaisirs, des richesses, de la sagesse et de tout effort humain [27] » :

Vanité des vanités, dit Qohélet.
Vanité des vanités, et tout est vanité !
Quel intérêt a l'homme à toute la peine qu'il prend sous le
                                              soleil [28] ?

---

26. *La sainte Bible*, Maredsous, p. XXVIII.
27. A. Robert, *op. cit.*, p. 195.
28. Eccl. 1, 2-3.

Il ne méprise pas les joies honnêtes, qui lui apparaissent comme un dédommagement providentiel à l'égard de l'homme [29], mais il estime qu'elles sont incapables de satisfaire les aspirations humaines.

Sans doute l'Ecclésiaste n'apporte-t-il pas de solution au problème qu'il pose, mais son influence est très grande : « En rendant plus vive l'inquiétude des intelligences en face du problème de la rétribution, *en proclamant la vanité des choses de ce monde, il préparait les âmes à recevoir les lumières de Dieu sur l'au-delà* [30] ».

L'ECCLÉSIASTIQUE (vers 190)

L'*intérêt* du livre de l'Ecclésiastique est surtout *missionnaire*. L'auteur, Jésus, fils de Sira, est un « bourgeois de Jérusalem [31] » qui a profité de ses loisirs pour s'adonner à l'étude de la sagesse. La première partie du livre (ch. 1-42, 14) contient des conseils de morale et de piété sur les vertus à pratiquer et les péchés à éviter ; la seconde est un éloge des œuvres du Seigneur et des grands hommes d'Israël (ch. 42, 15-50, 24). Convaincu que la vraie sagesse est en Israël, Ben Sira a composé « une sorte de manuel de savoir-vivre moral, capable de rendre la Loi juive attrayante pour des esprits grecs ou hellénisants, tentés de se laisser séduire par le raffinement de la civilisation hellénistique [32] ». Son livre qui allait se répandre dans la « Diaspora » servirait aux Juifs vivant en pays païen, constituerait un trait d'union entre eux et les païens de bonne volonté et préparerait les esprits à la morale chrétienne [33].

---

29. Eccl. 17, 17.
30. A. Robert, *op. cit.*, p. 196.
31. Dom Duesberg, *Les Scribes inspirés*, Paris 1939, vol. 2, l. 2, *Le livre de raison d'un bourgeois de Jérusalem*.
32. *La sainte Bible*, Maredsous, p. XXXIII.
33. Voir J. Dheilly, *op. cit.*, p. 413.

LA SAGESSE (entre 100 et 50)

Avec le livre de Daniel et le second livre des Maccabées, cet ouvrage apporte la solution au problème de la rétribution. L'auteur est un juif parfaitement au courant de la langue et des mœurs grecques : il a écrit son livre en grec, probablement à Alexandrie. Son but est de montrer à ses compatriotes juifs la supériorité de la sagesse israélite sur la philosophie païenne : l'une a été donnée à Israël par la Loi divine, tandis que l'autre est purement humaine. Au plan doctrinal, le livre est dominé par la *révélation de l'immortalité de l'âme* :

Les âmes des justes sont dans la main de Dieu
    et nul tourment ne les atteindra.

Aux yeux des insensés ils ont paru mourir,
    leur sortie de ce monde a passé pour un malheur
    et leur départ d'auprès de nous pour un anéantissement,
    mais ils sont dans la paix.

S'ils ont, aux yeux des hommes, connu le châtiment,
    leur espérance était pleine d'immortalité...

Au jour de sa visite (de Dieu) ils resplendiront,
    ils courront comme des étincelles à travers le chaume.

Ils commanderont aux nations et domineront les peuples,
    et le Seigneur régnera sur eux pour toujours [34].

La révélation de l'immortalité de l'âme et de la rétribution dans l'au-delà apporte la solution aux inquiétudes de Job et de l'Ecclésiaste : elle donne une réponse aux problèmes de la souffrance du juste et de l'insuffisance du bonheur terrestre. La pensée révélée atteint ainsi son dernier développement avant la venue du Christ.

---

34. Sag. 3, 1-8. Les textes les plus importants de l'Ancien Testament sur la Résurrection se trouvent en Dan. 12 et 2 Macc. 7, 12, 14.

LE ROLE DES SAGES

Les sages ont joué un rôle important dans la vie d'Israël entre l'exil et l'Incarnation : ils ont été des guides spirituels pour le peuple élu, des témoins de Dieu et des précurseurs de l'Evangile. Si, à l'époque de Jésus, la mentalité des scribes tend à se durcir en un juridisme étroit, il ne faut pas oublier que les sages ont été des conseillers et des *guides spirituels* qui ont contribué à maintenir le Judaïsme dans la fidélité à la Révélation [35]. D'une manière différente des prophètes mais non moins réelle, ils ont encore été en Israël des *témoins de Dieu :* ils apparaissent comme les « représentants d'un humanisme religieux qui n'a rien perdu de son actualité », et leur travail d'observation, de réflexion religieuse et de direction spirituelle témoigne d'un « effort pour vivifier toute valeur humaine [36] » au contact de la religion d'Israël. Cette leçon que les sages donnent par leur vie est toujours valable : l'effort de connaissance du monde, la confrontation permanente de la vie et des exigences de la foi, le souci de répondre aux besoins de notre temps dans la fidélité à l'Evangile sont le prolongement dans l'Eglise, chez les pasteurs et les chrétiens, de l'activité des sages. Ceux-ci ont d'ailleurs été des *précurseurs de l'Evangile :* chacun à sa manière y a préparé les âmes, les uns en posant des problèmes, les autres en y apportant une solution, et il est remarquable de voir que Dieu s'est servi de leur réflexion humaine comme véhicule de la Révélation, magnifique leçon, dans les faits, de la collaboration que Dieu demande à l'homme pour la réalisation de son dessein.

Un siècle à peine après le livre de la Sagesse, Jésus, le Sage par excellence, dira aux Pharisiens :

---

35. P. Grelot, *Pages bibliques,* p. 326.
36. A.M. Dubarle, *Les Sages d'Israël,* Paris 1946, p. 4.

La reine du Midi... vint des extrémités de la terre pour écouter la sagesse de Salomon, et il y a plus ici que Salomon [37] !

Dans le Sermon sur la montagne et tout au long de sa prédication le Christ portera l'enseignement de sagesse à sa forme la plus haute ; en sa personne et dans le mystère de la Croix, il révélera la sagesse divine que les sages d'Israël n'avaient fait qu'entrevoir :

Pour ceux qui sont appelés, Juifs comme Grecs, c'est le Christ, puissance de Dieu et sagesse de Dieu [38].

LECTURES

Juges 9, 1-21.
1 Rois 5, 9-14.
Proverbes 8, 12-36 ; 19.
Job 1-2 ; 38, 1-40, 5.
Ecclésiaste 1, 12-2, 26 ; 12, 1-8.
Ecclésiastique 3, 30-4, 10 ; 24, 1-34 ; 39, 1-11 ; 48, 1-11.
Sagesse 2, 21-3, 12 ; 5, 14-16 ; 9.
Psaume 119.

---

37. Mt 12, 42.
38. 1 Cor. 1, 24.

Chapitre Dixième

LES PAUVRES DE YAHWEH

Comme les prophètes et les sages, les « pauvres de Yahweh » ont exercé une influence considérable sur l'histoire religieuse du peuple élu : après l'exil, ils ont profondément marqué l'âme d'Israël, et le Sermon sur la montagne sera la réponse du Christ à leurs aspirations religieuses. Pour comprendre leur rôle dans la destinée d'Israël et la leçon spirituelle qu'ils transmettent, il est indispensable de les situer dans le mouvement religieux auquel ils appartiennent, mais il convient, au préalable, de signaler quelques gauchissements possibles dans cette étude et d'indiquer le sens des termes les plus courants du vocabulaire biblique de pauvreté.

ECUEILS A EVITER

Plusieurs déviations doivent être évitées dans l'étude biblique de la notion de pauvreté. La première consisterait à faire « une apologie sans nuances de la pauvreté (matérielle), débouchant fatalement dans une condamnation et de la création divine et de l'œuvre humaine[1] » : c'est

---

1. R.P. Bouyer, *L'appel du Christ à la pauvreté,* dans *La pauvreté,* Paris 1952, p. 13.

l'*ébionisme* [2] qui va à l'encontre des données bibliques sur la bonté de la création et le travail de l'homme [3] et qui, faisant de la pauvreté matérielle un absolu, et non un moyen de s'ouvrir davantage à Dieu, laisse le champ libre au pharisaïsme et à certaines outrances qui sont à l'opposé de l'Evangile. A l'inverse, on pourait être tenté de spiritualiser tellement la notion de pauvreté que celle-ci devienne totalement indépendante de la pauvreté matérielle : pareille désincarnation de la pauvreté ne serait pas biblique et favoriserait bien des illusions, sinon l'égoïsme lui-même. Quand Jésus déclare :

> Il est plus facile à un chameau de passer par le trou de l'aiguille qu'à un riche d'entrer dans le Royaume de Dieu [4] !

c'est être infidèle à sa pensée que d' « élargir le chas de l'aiguille et de ratatiner le chameau au point qu'il n'y ait plus de paradoxe du tout [5] ».

Un autre écueil est l'anachronisme: il consisterait à aborder la littérature biblique de pauvreté sans tenir compte de l'époque à laquelle elle a été rédigée. Assurément les exigences fondamentales étaient alors les mêmes qu'aujourd'hui, mais on ne saurait oublier que la croyance claire en la rétribution dans l'au-delà a été tardive dans l'Ancien Testament, que sa morale n'avait pas atteint la perfection de l'Evangile, que la prise de conscience des problèmes sociaux était moins avancée que maintenant et que le contexte où ils se posaient n'était pas le même qu'actuellement. On ne cherchera donc pas dans les écrits de pauvreté des recettes à appliquer au pied de la lettre, mais un esprit, une dimension spirituelle, les valeurs permanentes qui s'en dé-

---

2. Du mot hébreu *'ébyôn*, qui désigne le pauvre qui regarde le riche avec envie.
3. Voir le ch. 2.
4. Mc 10, 25.
5. L. Bouyer, *op. cit.*, p. 14.

gagent, afin de les traduire dans des attitudes concrètes adaptées aux conditions du monde présent.

LE VOCABULAIRE DE PAUVRETE

Le vocabulaire de pauvreté est assez abondant [6]. Deux termes méritent particulièrement de retenir l'attention : *'ani* et *'anaw,* qui se traduisent habituellement par le mot *pauvre.* Ils viennent d'une même racine, le verbe *'anah,* qui exprime l'idée d'amoindrissement, d'abaissement, d'accablement [7]. L'*ani* est « celui qui courbe la tête sous le coup du sort, sous le coup de la misère et de l'affliction [8] » ; au sens religieux, c'est l'humble, l'homme qui accepte son abaissement en se soumettant à la volonté de Dieu. Le mot *'anaw,* employé ordinairement au pluriel *'anawim,* a essentiellement le même sens que *'ani :* utilisé la plupart du temps au sens religieux, il désigne le pauvre selon l'esprit, l'humble, celui qui accepte sa petitesse dans la foi et la fidélité à Yahweh. L'usage religieux de ces mots qui deviendra courant après l'exil se rencontre déjà chez le prophète Sophonie aux environs de 630.

LA SPIRITUALITE DES PAUVRES DANS LE MOUVE-MENT DE L'HISTOIRE

La spiritualité des pauvres n'est pas née à l'improviste : elle s'est dégagée progressivement des exigences de l'Alliance rappelées par les Prophètes, des expériences religieuses d'Israël éprouvé et des progrès de la Révélation.

---

6. Pour une analyse d'ensemble, consulter : *Le Dieu des pauvres, Cahiers trimestriels « Evangile »,* n. 5, pp. 48-51, ou A. Gelin, *Les pauvres de Yahweh,* Paris 1953, pp. 19 ss.

7. Le sens fondamental de *'anah* est : être courbé, incliné.

8. *Le Dieu des pauvres,* p. 50.

LE DIEU DES PAUVRES ET SA LOI

Au point de départ, il y a la révélation de la miséricorde de Dieu et la Loi qu'il donne à son peuple. En libérant les Hébreux du joug égyptien, Yahweh s'était manifesté comme « Dieu de tendresse et de pitié » [9] et avait révélé sa bonté envers les petits et les opprimés :

J'ai entendu le gémissement des enfants d'Israël asservis par les Egyptiens [10].

Aussi, pour être fidèle à l'Alliance, l'Israélite devra-t-il se montrer, à l'imitation de son Dieu, bon envers les faibles, spécialement l'étranger, la veuve, l'orphelin, l'indigent :

Tu ne molesteras pas l'étranger ni ne l'opprimeras, car vous avez vous-mêmes résidé comme étrangers dans le pays d'Egypte [11].

Cette prescription du code de l'Alliance est reprise, selon le même esprit, dans le Deutéronome et le Lévitique :

Tu ne porteras pas atteinte au droit de l'étranger, et tu ne prendras pas en gage le vêtement de la veuve. Souviens-toi que tu as été en servitude au pays d'Egypte et que Yahweh ton Dieu t'en a racheté [12].

Si ton frère qui vit avec toi tombe dans la gêne et s'avère défaillant dans ses rapports avec toi, tu le soutiendras à titre d'étranger ou d'hôte et il vivra avec toi... Tu ne lui donneras pas d'argent pour en tirer du profit ni de la nourriture pour en percevoir des intérêts : je suis Yahweh votre Dieu qui vous ai fait sortir du pays d'Egypte pour vous donner le pays de Canaan, pour être votre Dieu [13].

Le souci de protéger les pauvres et les faibles, qui caractérise la législation israélite et la prédication des prophètes,

---

9. Ex. 34, 6.
10. Ex. 6, 5.
11. Ex. 22, 20.
12. Deut. 24, 17-18.
13. Lév. 25, 35-38.

n'est pas un simple réflexe humanitaire, une pure réaction
de justice sociale et de bonté humaine, il est la transposi-
tion au niveau de l'homme, de la miséricorde de Dieu envers les petits et les opprimés. L'attitude de l'Israélite envers son frère est en référence à l'attitude de Yahweh à
l'égard d'Israël, elle est fondée sur la bonté agissante de
Dieu.

LES PROPHÈTES DE L'ÉPOQUE ROYALE ET LA RICHESSE

Dans ces conditions, l'attitude des prophètes en face de la
richesse se comprend d'elle-même. A l'époque royale, ils
combattent surtout deux abus dans l'usage des biens maté-
riels. L'oppression des faibles, la corruption des juges et
les injustices sociales conduisent Amos et Isaïe à condam-
ner vigoureusement *la recherche avide des richesses au mépris des droits du pauvre* :

Parce qu'ils vendent le juste à prix d'argent et le pauvre pour
une paire de sandales ;
   parce qu'ils écrasent la tête des petites gens et qu'ils font
dévier la route des humbles...
   Et moi je vous avais fait monter du pays d'Egypte
et vous avais, pendant quarante ans, conduits dans le désert,
pour vous mettre en possession du pays de l'Amorite !...
   Eh bien ! moi, je vais vous clouer au sol... [14]

Mêmes reproches en Isaïe :

   Yahweh traduit en jugement
les anciens et les princes de son peuple.
   « C'est vous qui dévastez la vigne
et recélez la dépouille du pauvre.
   De quel droit écrasez-vous mon peuple
et osez-vous broyer le visage des pauvres [15] ? »

L'autre abus auquel s'attaquent les prophètes est *l'uti-*

---

14. Am. 2, 6-13 ; voir 5, 11 ss.
15. Is, 3, 14-15.

lisation des biens donnés par Dieu pour se montrer infidèle envers Lui. Au lieu de rendre grâces à Yahweh des biens dont ils disposent, les Israélites se sont plus d'une fois laissés séduire par les cultes de fécondité cananéens comme s'ils tenaient ces richesses des Baals, et non de Yahweh seul :

> Elle (Israël, épouse de Yahweh) a dit :
> « Je veux courir après mes amants,
> eux qui me donnent mon pain et mon eau,
> ma laine et mon lin, mon huile et ma boisson »...
> Et elle n'a pas reconnu
> que c'est moi qui lui donnais
> le blé, le moût, l'huile fraîche,
> qui lui prodiguais cet argent et cet or
> dont ils ont fait des Baals !
> C'est pourquoi je reprendrai mon blé en son temps,
> mon moût en sa saison... [16]

Le châtiment annoncé, qui doit amener une rénovation, laisse entrevoir « l'idée que la privation des biens, qui sont pourtant toujours reconnus pour des dons de Dieu, peut être la voie nécessaire pour la redécouverte de Dieu [17] ». Néanmoins, avant l'exil, la notion de pauvreté « n'est pas canonisée comme si elle exprimait par elle-même un idéal religieux vers lequel il faille tendre par le dépouillement des richesses. Comme tous les Israélites de leur époque, les prophètes estiment la richesse : elle est, à leurs yeux, normalement une récompense de la vertu, et, par suite, l'ère eschatologique leur apparaît comme une ère de perfection morale et d'abondance matérielle tout à la fois [18] ».

SOPHONIE, LE PREMIER PROPHÈTE DE LA PAUVRETÉ

Parmi les prophètes préexiliens, Sophonie occupe une

---

16. Os. 2, 7, 10-11.
17. L. Bouyer, *art. cit.* p. 17.
18. A. Robert, Cours sur *Les psaumes,* p. 42. — Voir Os. 2, 23-25.

place de premier plan dans l'histoire des *'anawim :* avec lui, l'idée de pauvreté s'oriente dans un sens nettement religieux. Vers 630, le prophète emploie le vocabulaire de pauvreté en lui donnant une valeur proprement religieuse : il appelle ses contemporains à la pauvreté spirituelle et identifie le peuple messianique à un peuple de pauvres. Il invite ses compatriotes à la pauvreté et leur présente celle-ci comme le seul espoir d'échapper au châtiment :

> Cherchez Yahweh
> vous tous « pauvres » (anawim) du pays
> qui accomplissez ses ordonnances.
> Cherchez la *justice,*
> cherchez la « *pauvreté* » ('anawah)
> peut-être pourrez-vous rester à l'abri
> au jour de la colère de Yahweh [19].

De plus, il annonce que le « Reste », le peuple qui recevra les bénédictions messianiques, sera un peuple de pauvres :

> En ce jour-là :
> ... j'écarterai de ton sein
> tes *orgueilleux* triomphants...
> Je laisserai subsister en ton sein
> un *peuple pauvre* ('ani) et *humble* :
> il *cherchera refuge* dans le nom de Yahweh
> *le Reste* d'Israël.
> Ils ne commettront plus d'iniquité,
> ils ne diront plus de mensonge ;
> on ne trouvera plus dans leur bouche
> de langue trompeuse.
> Mais ils pourront paître et se reposer
> sans que personne les inquiète [20].

Malgré la condition humiliée et précaire du royaume de Juda à l'époque de Sophonie, il est évident que la pauvreté

---

19. Soph. 2, 3, traduction de A. Gelin, *op. cit.,* p. 34.
20. Soph. 3, 11-13 ; trad. de A. George-A. Gelin, *id.* p. 33.

dont parle le prophète n'est pas simplement, ni principalement matérielle : malgré ses implications sociales, elle est avant tout religieuse puisqu'elle est faite de recherche de Dieu, de confiance en Yahweh, de fidélité à l'Alliance, de droiture et d'humilité. Cette notion de pauvreté deviendra courante après l'exil : trois types de pauvres, Jérémie, le « serviteur de Yahweh » et Job, en seront l'expression privilégiée en même temps qu'ils contribueront à répandre en Israël la spiritualité des *Anawim*.

Jérémie, « le père des pauvres [21] »

Défenseur des humbles [22], Jérémie n'a pas appartenu à la classe pauvre, mais les persécutions dont il fut l'objet, la haine que lui attira sa prédication et les échecs qu'il rencontra créèrent autour de lui un climat d'insécurité plus pénible que celui qui résulte de la pauvreté matérielle et lui ont permis de vivre dans toute sa vérité la pauvreté. Dans ses « confessions [23] », écrites après 610, donc après l'interruption du renouveau yahviste, Jérémie laisse parler son cœur de pauvre. Il sent la souffrance et il s'en plaint amèrement :

> Maudit soit le jour où je suis né !
> Le jour où ma mère m'enfanta, qu'il ne soit pas béni !...
> Pourquoi donc suis-je sorti du sein ?
> Pour vivre peine et tourment et finir mes jours dans la honte !

> Tu m'as séduit, Yahweh, et je me suis laissé séduire !...
> La parole de Yahweh a été pour moi
> opprobre et raillerie, tout le jour [24].

Mais, au milieu des souffrances et des persécutions de tout genre, il demeure fidèle à Yahweh et lui garde entière sa confiance :

---

21. L'expression est de A. Gelin, *Jérémie,* Paris 1952, p. 183.
22. Jér. 22, 13.
23. Jér. 11, 18-12, 6 ; 15, 10-21 ; 17, 12-18 ; 18, 18-23 ; 20, 7-18.
24. Jér. 20, 14, 18, 7-8.

Yahweh est avec moi comme un héros puissant...
Toi, Yahweh Sabaot, qui examines avec justice
  et pénètres les reins et les cœurs,
puissé-je voir la vengeance que tu tireras de ces gens,
  car c'est à toi que j'ai remis ma cause [25].

L'épreuve est pour le prophète « l'occasion d'une disponibilité et d'une pauvreté d'âme, d'un dialogue mystique où s'expriment la confiance et la joie de la foi [26] ». Par là, Jérémie apparaît comme une figure authentique de pauvre. Sa physionomie religieuse exercera une grande influence après l'exil sur la communauté des pauvres, en particulier sur les psalmistes : les 'anawim représentent comme une « démocratisation de la conscience de Jérémie [27] ».

LE SERVITEUR DE YAHWEY, TYPE PAR EXCELLENCE DU PAUVRE

Pendant l'exil ou peu après le retour en Israël, l'Ancien Testament révèle une autre physionomie de pauvre, celle du Serviteur de Yahweh. Les oracles qui le concernent [28] en tracent un portrait qui ne trouvera qu'en Jésus sa pleine réalisation : le Serviteur apparaît comme « le type par excellence du pauvre de Dieu, qui sera cause de salut pour tous les peuples [29] ». Ce « Serviteur de Yahweh », juste et innocent,

n'a jamais fait de tort
ni de sa bouche proféré de mensonge.

La souffrance et le mépris l'accablent :

Sans beaufé et sans éclat (nous l'avons vu)
et sans aimable apparence,
objet de mépris et rebut de l'humanité,

---

25. Jér. 20, 11 ss.
26. A. Gelin, Jérémie, p. 184.
27. Id., p. 183.
28. Is. 42, 1-7 ; 49, 1-6 ; 50, 1-7 ; 52, 13-53, 12.
29. Le Dieu des pauvres, p. 28.

> homme de douleurs et connu de la souffrance,
> comme ceux devant qui on se voile la face,
> il était méprisé et déconsidéré.

Mais, au milieu de ses souffrances, il reste silencieux et humble :

> Affreusement traité, il s'humiliait,
> il n'ouvrait pas la bouche.
> Comme un agneau conduit à la boucherie.

Bien mieux, sa mort, volontairement acceptée pour le péché de tous, sera source de salut pour des multitudes :

> Il a été transpercé à cause de nos péchés,
> écrasé à cause de nos crimes.
> Le châtiment qui nous rend la paix est sur lui
> et c'est grâce à ses plaies que nous sommes guéris.

Les souffrances de ce pauvre qui justifieront les pécheurs seront suivies pour lui d'une mystérieuse glorification :

> S'il offre sa vie en expiation,
> il verra une postérité, il prolongera ses jours
> et ce qui plaît à Yahweh s'accomplira par Lui.
> Après les épreuves de son âme
> il verra la lumière et sera comblé.
> Par ses souffrances mon Serviteur justifiera des multi-
> tudes... [30]

Le Serviteur de Yahweh est l'expression la plus haute de l'idéal de pauvreté contenu dans l'Ancien Testament : les disciples de Jésus n'hésiteront pas à reconnaître dans le Christ mort et ressuscité ce Pauvre dont avait parlé un lointain disciple d'Isaïe.

JOB, TYPE « LITTÉRAIRE ET THÉOLOGIQUE » DU PAUVRE [31].

Dans la première moitié du v⁵ siècle, l'auteur du livre de

---

30. Toutes ces citations sont empruntées au dernier oracle sur le Serviteur de Yahweh.
31. A. Robert, *op. cit.*, p. 49.

Job donne, lui aussi, en la personne de son héros une image religieuse du pauvre. En plus de sa contribution au problème de la souffrance du juste, l'ouvrage contient une leçon de pauvreté. Job n'est pas seulement bon pour les pauvres [32], il est lui-même pauvre dans tous les sens du mot : il a perdu tous ses biens, il souffre dans sa chair et dans son affection, il est innocent, et, après avoir discuté avec ses trois amis et écouté Dieu, il renonce à revendiquer sa justice devant Yahweh et accepte, humblement et silencieusement, sa condition souffrante dans une attitude de foi en la sainteté et la justice de Dieu :

> Je sais que tu es tout-puissant :
> ce que tu conçois, tu peux le réaliser.
> J'étais celui qui brouille tes conseils,
> par des propos dénués de sens.
> Aussi ai-je parlé sans intelligence,
> de merveilles qui me dépassent et que j'ignore...
> Je ne te connaissais que par ouï-dire,
> mais maintenant mes yeux t'ont vu.
> Aussi je retire mes paroles,
> je me repens sur la poussière et sur la cendre [33].

Par là, Job mérite de rester dans l'ensemble de la tradition biblique comme l'un des types les plus expressifs de la spiritualité des *Anawim*.

LES PAUVRES DE YAHWEH

Les premiers exilés qui revinrent de Babylone à Jérusalem se recrutèrent parmi les plus pauvres des déportés. Malgré les difficultés de tous ordres qui l'attendaient, ce groupe de fidèles formés dans la souffrance et le dénuement est à l'origine de la restauration religieuse d'Israël. Désormais, les pauvres de Yahweh vont être jusqu'au

---

32. Job 29, 11-17.
33. Job 42, 2-6. Consulter dans le même sens A. Lefèvre, art. *Job* (*Le livre de*), dans D.B.S., IV, col. 1096.

Christ, et spécialement aux époques de persécution, les vivants témoins de la religion de l'Alliance.

Pour les comprendre, il faut se souvenir des grands pauvres en qui ils trouvent l'expression de leur attitude religieuse, Jérémie, le Serviteur de Yahweh, Job. Il faut encore lire et méditer ce que l'on peut appeler la littérature des pauvres, les passages prophétiques et sapientiels qui traduisent leur âme : les psaumes des *'anawim* [34], l'hymne d'action de grâce de la fin de l'Ecclésiastique [35], la troisième « lamentation » qui est un des plus beaux poèmes de pauvreté [36],... En dehors de la Bible, des textes comme les « psaumes de Salomon » ou les écrits de *Qumrân* aident aussi à connaître la mentalité des pauvres :

Dans mes tribulations, j'ai invoqué le nom du Seigneur,
　j'ai espéré dans le secours du Dieu de Jacob, et j'ai été sauvé;
car tu es l'espoir et le refuge des pauvres, ô Dieu [37] !

A partir de ces textes et de l'histoire des *'anawim,* il est possible de dégager les principaux traits du pauvre de Dieu. On doit signaler, en premier lieu, une *réelle pauvreté,* ou ses équivalents, souffrance, persécution... : « Si le mot *pauvre* a pris un sens religieux, il ne peut faire oublier totalement son sens premier : la classe des pauvres est normalement celle où se recrutent les clients de Dieu [38] ». C'est aussi de la notion de pauvreté matérielle qu'on a abouti à celle de pauvreté religieuse et c'est par une succession

---

34. Ps. 22, 35, 55, etc.
35. Eccli. 51, 1-12.
36. Lam. 3, 1-66.
37. Psaumes de Salomon 15, 1-2 ; 5 ; 10, 7 ; 18, 3. — Ecrits de Qumrân : *Règle* X, 11-17 ; XI, 12-15 ; *Ps.* C ; *Ps.* B : « Tu as racheté l'âme de ton pauvre, alors qu'ils projetaient d'en finir en répandant son sang sous prétexte de te servir. Mais ils ne savent pas que c'est toi qui guides mes pas. » (trad. A. Vincent, *Les manuscrits hébreux du désert de Juda,* Paris 1955, p. 109).
38. A. Descamps, cité par D.J. Dupont dans *Les Béatitudes, le problème littéraire, le message doctrinal,* Louvain, 1954, p. 147.

d'épreuves nationales ou personnelles que cet approfondissement s'est produit. Il y a lieu, par conséquent, de retenir
la pauvreté matérielle comme caractéristique d'ensemble
des 'anawim. Assurément, l'aspect religieux de la pauvreté
est le plus important, et il convient d'y insister. Dans
ses rapports avec autrui, le pauvre, fidèle à la Loi, se distingue par son *comportement fraternel de dévouement aux
petits* et de défense des faibles. A l'égard de Dieu, il prend
une attitude *d'humilité totale* et sincère jointe à une *foi*
et une *confiance* absolues en Celui qui est saint, fidèle, juste
et miséricordieux. A diverses reprises, cette foi se traduit
en une demande de châtiment pour les méchants : si l'on
ne veut pas en être scandalisé, il y a lieu de se rappeler que
les exigences morales n'avaient pas encore atteint la perfection de l'Evangile et que plusieurs de ces prières se com-
prennent mieux dans une perspective de rétribution temporelle. L'*anaw* se caractérise encore par l'*espérance du salut
à venir et du Messie* promis par Yahweh. Il attend le Messie, humble [39] et ami des petits [40], qui portera aux pauvres la
bonne nouvelle [41] du salut. Ainsi entendue, la « pauvreté »
n'est pas une vertu parmi d'autres, mais l'attitude religieuse
de tout l'être faite d'ouverture à Dieu et d'appel vers lui.
De cette pauvreté des 'anawim on a dit, très heureusement,
que la pauvreté réelle est le terrain privilégié, que l'humilité
est son âme et qu'elle est une nuance de la foi [42].

LA VIERGE MARIE, SOMMET DE L'ESPERANCE DES PAUVRES

L'Evangile fait connaître quelques 'anawim, le vieillard
Siméon, Anne la prophétesse, Jean le Baptiste et, surtout,

39. Zach. 9, 9.
40. Is. 11, 3-4.
41. Is. 61, 1-3.
42. A. Gelin, *Les pauvres de Yahvé*, p. 10.

la Vierge Marie [43]. Les aspirations des pauvres trouvent en elle leur sommet et leur expression la plus authentique : « Elle prend en son âme toute leur puissance d'accueil au Dieu qui vient ; elle résume cette immense attente qui est la dimension spirituelle d'Israël qui va enfin engendrer le Christ [44] ». Il y a en elle une humilité, une disponibilité et une ouverture à Dieu que chacun des pauvres de l'Ancien Testament avait préparées et qui expliquent pourquoi, dès le premier instant, Marie a répondu, librement et spontanément, à l'appel de Dieu :

Je suis la servante du Seigneur ; qu'il m'advienne selon ta parole [45] !

Dans le *Magnificat,* son « chant de pauvreté », on écoute « la femme qui s'est profondément assimilé l'âme des *'anawim,* au point d'en être, sous le coup de la nouveauté de l'Incarnation, l'expression la plus vibrante et la plus parfaite [46] ».

LE CHRIST, PAUVRE DE DIEU

Dès le début de son ministère, Jésus, en proclamant les *béatitudes,* se révèle, par le fait même, comme le Messie des pauvres et consacre la pauvreté comme le moyen d'accéder au Royaume de Dieu :

Heureux ceux qui ont une âme de pauvre,
car le Royaume des Cieux est à eux [47].

---

43. Lc 1-3.
44. A. Gelin, *op. cit.,* p. 123.
45. Lc 1, 38.
46. A. Gelin, *op. cit.,* p. 125.
47. Mt. 5, 3 (trad. Osty). Cette « béatification » de la pauvreté n'est pas à assimiler à une béatification de la misère : sauf cas exceptionnels, la misère est une condition tellement déficiente qu'elle est un obstacle à la vie religieuse, parce qu'elle est un obstacle à l'exercice normal de la vie humaine.

N'ayant pas « où reposer la tête [48] », le Christ vit la pauvreté, la souffrance et l'abandon, dans l'acceptation continue de la volonté de son Père et l'amour des hommes, jusqu'au sacrifice suprême :

De riche il s'est fait pauvre pour vous, afin de vous enrichir par sa pauvreté,

écrit saint Paul aux Chrétiens de Corinthe [49]. Il est le pauvre dont le sacrifice procure le salut et à la suite duquel il faut se faire pauvre pour entrer dans le Royaume.

ACTUALITE DU MESSAGE DES PAUVRES

En se faisant pauvre pour suivre le Christ, le chrétien doit évidemment tenir compte du degré de perfection auquel Jésus a porté la spiritualité des pauvres : certaines prières où l'on demande à Yahweh le châtiment des ennemis ne peuvent être reprises telles quelles par celui qui a reçu le commandement nouveau [50]. Mais tout ce qu'il y a de positif dans l'histoire et la spiritualité des *'anawim* garde une valeur permanente pour le chrétien d'aujourd'hui et doit l'aider à vivre la pauvreté.

Nourri du message des *'anawim* et gardant constamment sous les yeux l'image du Christ pauvre, le chrétien, dans son comportement *à l'égard des richesses,* se garde de jamais profiter de la situation précaire du prochain pour augmenter son propre bien-être, comme d'utiliser les dons de Dieu à des fins contraires à son amour. Loin de considérer la richesse autrement que comme un moyen de service et de faire de la réussite temporelle le but de sa vie, il sait que la pauvreté matérielle est le terrain normal à

---

48. Mt. 8, 20.
49. 2 Cor. 8, 9.
50. Jn 13, 34-35.

l'ouverture de l'âme à Dieu et qu'il ne peut être disciple du Dieu qui s'est fait pauvre sans mettre dans sa vie une certaine austérité : « Qui n'a jamais eu l'illusion de croire que le christianisme était une situation viable, sinon des hommes qui se sont habitués à rester chrétiens sans abandonner Mammon [51] ? » Parfois le renoncement effectif et total aux biens de ce monde se présente au chrétien comme la condition nécessaire pour suivre l'appel du Christ. *Vis-à-vis des pauvres,* il a une attitude fraternelle, exigée non seulement par son sens de l'homme créé à l'image de Dieu, mais par sa foi au Dieu de miséricorde qui a délivré Israël et qui a donné son Fils unique pour sauver le monde: aucun paternalisme ne se glisse dans cette attitude, car le chrétien sait qu'il est lui-même l'objet de cette miséricorde. *A l'égard de Dieu,* il se tient dans l'humilité, sachant que « tout est grâce [52] » et que même sa réponse libre au Seigneur qui le sauve est un don de Dieu :

Qu'as-tu que tu n'aies reçu ? Et si tu l'as reçu, pourquoi te vanter comme si tu ne l'avais pas reçu [53] ?

Cette humilité n'a d'égales que la foi et la confiance imperturbables que le chrétien met en Dieu malgré les obscurités, les souffrances et les contradictions qu'il rencontre :

Yahweh est mon pasteur
je ne manque de rien...
Il me guide par le juste chemin
pour l'amour de son nom.
Passerai-je un ravin de ténèbre,
je ne crains aucun mal ;
près de moi ton bâton, ta houlette
sont là qui me consolent [54].

---

51. J. Daniélou, *Essai sur le mystère de l'histoire,* p. 76.
52. Georges Bernanos, *Journal d'un curé de campagne,* Paris 1951, p. 324.
53. 1 Cor. 4, 7.
54. Ps. 23, 1-4.

LECTURES

Exode 22, 20-26,
Deutéronome 24, 35-55.
Lévitique 25, 35-55.
Sophonie 2, 1-3 ; 3, 11-20.
Jérémie 20, 7-13.
Isaïe 52, 13-53, 12.
Job 42, 1-6.
Psaume 22.
Lamentations 3, 1-66.
Luc 1, 26-56.
Matthieu 5, 3-12.

CHAPITRE ONZIÈME

LE CHRIST

> Quand vint la plénitude du temps, Dieu envoya
> son Fils, né d'une femme, né sujet de la loi,
> afin de racheter les sujets de la loi, afin de
> nous conférer l'adoption filiale [1].

LE CHRIST DANS LA CONTINUITE DE L'HISTOIRE DU SALUT

On ne peut lire le Nouveau Testament sans remarquer
comment le Christ est en continuité avec le déroulement de
l'histoire du salut. Il est en *continuité avec l'histoire de
l'univers* : le Verbe que s'est incarné est le créateur du
monde :

> Tout fut par lui
> et sans lui rien ne fut...
> Il était dans le monde
> et le monde fut par lui
> et le monde ne l'a pas connu [2].

Il est en *continuité avec l'histoire de l'humanité* : pour
mettre la chose en évidence, saint Luc établit la généa-

1. Gal. 4, 4-5.
2. Jn. 1, 3, 10.

logie du Christ non seulement jusqu'à Abraham, père du peuple élu, mais jusqu'à Adam, père du genre humain :

> Jésus,... fils de David,... fils d'Abraham,... fils d'Adam,.., [3]

Il est en *continuité avec l'histoire du peuple de Dieu* : dès le premier verset de l'Evangile, saint Matthieu l'indique par les deux articulations de la généalogie du Sauveur :

> Généalogie de Jésus-Christ, fils de David, fils d'Abraham [4].

Jésus est « fils de David » : il est le Messie annoncé ; il est « fils d'Abraham » : il est celui qui réalise la promesse faite au Patriarche. C'est ce que chante la Vierge à la fin du Magnificat :

> Le Tout-Puissant... a porté secours à Israël son serviteur,
>   se souvenant de sa miséricorde,
> — ainsi qu'il l'avait promis à nos pères, —
>   en faveur d'Abraham et de sa descendance à jamais [5] !

Jésus lui-même proclame qu'il n'est pas venu abolir l'Ancien Testament, mais l'accomplir :

> N'allez pas croire que je sois venu abolir la Loi ou les prophètes : je ne suis pas venu abolir, mais accomplir [6].

Il faut bien entendre ce dernier mot : Jésus ne dit pas simplement « accomplir » au sens d' « observer », mais au sens d'accomplir en portant à sa perfection, de réaliser en portant à la plénitude. C'est ainsi que l'œuvre du Christ est à la fois en continuité et en discontinuité avec l'Ancien Testament : il accomplit la Loi et les prophètes, mais dans une réalité qui dépasse tout ce que l'on pouvait espérer.

Il n'y a donc pas de hiatus dans l'histoire du salut, mais continuité d'un même dessein qui atteint sa plénitude en Jésus-Christ.

------

3. Lc. **3**, 23-38.
4. Mt. **1**, 1.
5. Lc. **1**, 54-55.
6. Mt. **5**, 17.

JESUS AU CENTRE DU DESSEIN DE SALUT

Le Christ est, en effet, au cœur du dessein de Dieu :

Je suis l'Alpha et l'Oméga, le Premier et le Dernier, le Principe et la Fin [7].

Le mystère du salut trouve en Lui son centre, comme l'indique saint Paul aux chrétiens d'Ephèse :

Béni soit le Dieu et Père de notre Seigneur Jésus-Christ,...
Il nous a élus en lui, dès avant la création du monde,
   pour être saints et immaculés en sa présence, dans l'amour,
   déterminant d'avance que nous serions pour Lui des fils
                     adoptifs par Jésus-Christ.
En Lui nous trouvons la Rédemption, par son sang,
   la rémission des fautes,
   selon la richesse de sa grâce...
Il (Dieu le Père) nous a fait connaître le mystère de sa volonté,
   ce dessein bienveillant
   qu'Il avait formé en lui par avance,
   pour le réaliser quand les temps seraient accomplis :
   ramener toutes choses sous un seul chef, le Christ,
   les êtres célestes comme les terrestres [8].

Jésus, dont le nom signifie « Yahweh sauve [9] », est *le Sauveur du monde :* Il ne vient pas seulement pour le peuple d'Israël, mais pour tous les hommes. C'est la leçon de l'évangile de la Samaritaine : après avoir parlé à cette femme, Jésus demeure pendant deux jours chez les Samaritains, hérétiques aux yeux des Juifs, et leur réflexion, qui conclut l'épisode, en dégage la valeur théologique :

Nous l'avons nous-mêmes entendu et nous savons que c'est vraiment lui le sauveur du monde [10].

---

7. Ap. 22, 13.
8. Eph. 1, 3-10.
9. Mt. 1, 21.
10. Jn. 4, 42.

Rien de positif ne se réalise dans l'ordre du salut en dehors du Christ, et tous ceux qui ont été ou seront sauvés sans le connaître ne l'ont pas été ou ne le seront pas sans sa grâce :

> Hors de moi vous ne pouvez rien faire [11].

C'est aussi le *Christ* qui, en réalisant et en achevant le salut des hommes, *opère le rétablissement de tous les êtres de l'univers dans la pleine harmonie avec Dieu.*

Enfin, c'est *vers le retour du Christ qu'est orientée toute l'attente de l'Eglise.*

LA PERSONNE DE JESUS

Ce qui distingue le christianisme de toute autre religion, c'est précisément que le chrétien trouve le salut en une personne et que cette personne est le Fils de Dieu incarné. Réduire le christianisme à un ensemble doctrinal, même très élevé, en oubliant Celui qui est la Vérité et la Vie, serait le dénaturer complètement : aussi le chrétien a-t-il soin de « ne pas laisser peu à peu l'idée générale prendre la place de la personne de Jésus-Christ [12] ».

L'Evangile en montre à la fois la proximité et la dignité infinie. Dans les récits évangéliques Jésus apparaît *extrêmement humain et* tout *proche* de ceux au milieu desquels Il vit : il prend part au repas de noces à Cana, il s'assied, fatigué, près du puits de Jacob et demande à boire, il pleure au tombeau de Lazare, son ami ; il est attentif aux personnes, la Samaritaine, le jeune homme riche ; il a des délicatesses exquises : après la résurrection de la fille de Jaïre, alors que tous restent stupéfaits, c'est lui qui demande de donner à manger à l'enfant ; il est simple et

---

11. Jn. 15, 5.
12. H. de Lubac, *Méditation sur l'Eglise,* 3ᵉ éd., Paris 1954, p. 217.

accueillant à l'égard de ceux qui viennent le trouver : les aveugles de Jéricho, les envoyés de Jean-Baptiste, les enfants qu'on lui présente ; il accepte même de répondre à ceux qui l'interrogent pour lui tendre un piège [13].

Par sa personne et son comportement, Jésus crée sur ceux qui l'approchent une *impression de mystère*. En parcourant l'Evangile de Marc, on est frappé de voir l'étonnement des disciples devant celui qu'ils sentent si proche et si grand : ils sont conquis parce qu'ils le voient ; sa parole qui les appelle est efficace ; l'autorité avec laquelle il enseigne et qui le distingue des scribes les impressionne vivement ; la maîtrise avec laquelle il remet les péchés, guérit le jour du sabbat et commande au vent et à la mer leur fait pressentir la dignité de celui qui est le Messie, Fils de Dieu [14]. De même, saint Jean, qui a noté la place que la trahison de Judas et l'heure de la Passion occupaient dans l'esprit du Maître et qui a relevé le trouble de Jésus à la pensée de sa mort prochaine, a aussi mis en évidence la souveraine liberté avec laquelle le Christ a accepté et accompli la volonté de son Père : longtemps à l'avance, Jésus songe à l'heure pour laquelle Il est venu et sait quel est celui qui doit le trahir, et le récit johannique de la Passion souligne la liberté royale du Christ dans son sacrifice [15]. A travers les faits et gestes de Jésus, le mystère de sa personne se laisse déjà entrevoir, celui du propre Fils de Dieu fait homme.

A ses disciples et interlocuteurs juifs, si pénétrés du sentiment de la transcendance et de la sainteté de Yahweh, Jésus n'affirme pas seulement qu'Il est le Messie, Il se présente, par son action et ses paroles, en qualité de *Fils de*

---

13. Jn. 2, 2 ; 4, 6-7 ; 11, 35 ; 4, 7 ss. ; Mc. 10, 21 ; 5, 43 ; Mt. 20, 29 ss. ; 11, 2 ss. ; 19, 13 ss. ; Lc. 20, 20 ss.
14. Mc. 1, 16 ss. ; 1, 22 ; 2, 1-12 ; 3, 1-6 ; 4, 35-41.
15. Jn. 6, 70-71 ; 2, 4 ; 12, 27-28 ; 10, 18 ; 13, 1 ; 18, 8 ; 18, 33-37 ; 19, 28-30.

Dieu : Il leur révèle qu'Il est, Lui-même, Dieu [16] et meurt pour s'être déclaré Fils de Dieu :

Nous avons une Loi et d'après cette Loi il doit mourir : il s'est fait le Fils de Dieu [17].

Saint Jean, résumant sur ce point le message de Jésus et la foi de l'Eglise primitive, écrira :

Au commencement le Verbe était
et le Verbe était avec Dieu
et le Verbe était Dieu...
Et le Verbe s'est fait chair...
Nul n'a jamais vu Dieu ;
le Fils unique, qui est dans le sein du Père,
lui, l'a fait connaître [18].

LES TROIS PHASES DU MYSTERE DE JESUS

L'Incarnation

C'est intentionnellement qu'après avoir parlé de l'existence éternelle du Verbe auprès du Père et de son œuvre créatrice l'évangéliste emploie le mot « chair », de préférence au mot « homme », pour traduire le réalisme de l'Incarnation : « chair » ne désigne pas, ici, le corps par opposition à l'âme, mais, selon une acception sémitique bien connue, l'homme dans la condition faible et chétive qui est celle de sa nature :

Toute chair est comme l'herbe
et sa délicatesse est celle de la fleur des champs.
L'herbe sèche, la fleur se fane
lorsque le souffle de Yahweh passe sur elles [19].

---

16. Jn. 10, 30 ; 14, 11.
17. Jn. 19, 7.
18. Jn. 1, 1, 14, 18. Sur la révélation de Jésus comme Fils de Dieu, voir *Lumière et Vie*, n. 9.
19. Is. 40, 6-7.

Devant le fait de l'Incarnation, il est légitime de songer avec amour et tendresse à l'enfant Jésus couché dans la crèche de Bethléem, mais on ne peut en rester là : il faut jeter sur le mystère du Dieu fait homme le regard d'une foi adulte. Sans cesser d'être Dieu, le Fils unique s'est fait l'un de nous :

Il a demeuré parmi nous.

Cette *proximité de Dieu* est le *signe d'un amour et d'un appel à une vie de communion* avec Lui. Mais une objection pourrait se présenter : le Christ reste loin de nous car Il n'a pas connu le péché [20]. Cette difficulté n'est qu'apparente : loin de créer une distance entre le Christ et nous, l'infinie sainteté de Jésus le rend plus proche de ceux qu'Il vient sauver ; « tout péché procède d'un égoïsme qui referme le cœur en soi et diminue sa puissance de sympathie », et la sainteté du Christ « ne le rend que mieux notre frère [21] ».

Si l'on excepte le péché et « la collusion qui joue entre notre chair et le péché [22] », le Christ a partagé totalement notre condition humaine. Ceci montre que *Dieu ne méprise pas la matière qu'Il a créée,* qu'Il *entend sauver tout l'homme,* non seulement son âme, mais aussi son corps, et qu'Il *ne renie nullement l'ordre de la création,* tel qu'Il l'a voulu au commencement : le Christ ne vient pas sauver l'homme en le libérant de la matière, mais en le délivrant du péché, et la grâce qu'Il répand sur le monde ne vient pas détruire l'ordre établi par le Créateur, mais sanctifier les hommes qui y vivent et, par le fait même, rétablir la création tout entière dans son orientation vers Dieu. La

20. Héb. 4, 15 ; 2 Cor. 5, 21.
21. A. Médebielle, *Epître aux Hébreux,* dans *La sainte Bible,* t. XII, Paris 1946, p. 308.
22. F.X. Durrwell, *La résurrection de Jésus mystère de salut,* 2ᵉ éd., Paris 1955, p. 65, n. 20. Sur les divers sens du mot « chair » chez saint Paul, voir la Bible de Jérusalem en Rom. 7, 5.

notion chrétienne du mariage, les manifestations concrètes de la charité, l'existence d'une Eglise visible et l'institution sacramentelle sont, parmi beaucoup d'autres, des expressions de ce principe traditionnel déjà contenu dans le fait de l'Incarnation. On retrouve l'optimisme de la Révélation devant le monde créé, optimisme rencontré dès la première page de la Genèse (« Dieu vit que cela était bon ») et impliqué dans la foi en la résurrection.

L'Incarnation du Fils de Dieu est un événement qui s'inscrit dans le temps : c'est l'entrée de Dieu dans l'histoire pour donner à celle-ci son sens et sa réalité profonde. *En Jésus-Christ l'histoire trouve son véritable sens* et son dynamisme : elle Lui doit d'être l'histoire du salut.

LA PASSION

Le Christ, en effet, s'est incarné pour sauver les hommes. Devenu solidaire de l'humanité, Il meurt sur la croix « pour rassembler dans l'unité les enfants de Dieu dispersés [23] » par le péché, manifestant ainsi la fidélité de Dieu à ses promesses de salut [24] et son amour :

La preuve que Dieu nous aime, c'est que le Christ, alors que nous étions encore pécheurs, est mort pour nous [25].

Sacrifice parfait, accompli une fois pour toutes [26], son obéissance jusqu'à la mort est l'*acte de religion et d'amour par lequel l'humanité, en la personne de son chef, fait retour au Père et retrouve l'amitié de Dieu :* elle est l'expression suprême de l'amour de Jésus pour son Père et pour les hommes. Pour mieux en saisir la grandeur, il est utile de considérer quelques aspects sous lesquels le sacrifice du Christ est présenté dans le Nouveau Testament :

---

23. Jn. 11, 52.
24. Rom. 3, 21 : l'expression « justice de Dieu » désigne ici principalement, sinon exclusivement, la fidélité de Dieu à ses promesses de salut.
25. Rom. 5, 8.
26. Héb. 7, 27.

Le sacrifice du Christ est *l'obéissance du Nouvel Adam qui apporte la justification et la surabondance de la grâce* là où la désobéissance du premier Adam avait introduit le péché et la mort : à la solidarité dans le péché succède la solidarité dans la grâce :

Comme par la désobéissance d'un seul homme la multitude a été constituée pécheresse, ainsi par l'obéissance d'un seul la multitude sera-t-elle constituée juste [27].

Le sacrifice du Christ est aussi le *sacrifice de l'Alliance Nouvelle entre Dieu et les hommes*. « Médiateur de la Nouvelle Alliance [28] », le Christ dit lui-même :

Ceci est mon sang, le sang de l'Alliance, qui va être répandu pour une multitude en rémission des péchés [29].

Par son sacrifice le Christ inaugure l'Alliance annoncée par les prophètes, Alliance Nouvelle qui instaure entre Dieu et les hommes une union de vie bien plus parfaite que ne le laissait entrevoir l'Alliance Ancienne.

Le sacrifice du Christ est encore présenté comme le *sacrifice de l'Expiation qui libère les hommes du péché et les unit vitalement à Dieu*. Cette présentation que l'on trouve dans l'Epître aux Hébreux et dans l'Epître aux Romains est voisine de la précédente. Pour la comprendre, il faut se reporter au rituel de l'expiation : lors du sacrifice d'Alliance, au Sinaï, l'effusion du sang des victimes sur l'autel, qui représentait Dieu, et sur le peuple signifiait que désormais il y aurait une certaine communauté de vie entre Dieu et le peuple; mais, puisque Israël avait promis d'observer la Loi, le péché du peuple allait contre l'Alliance, et l'on célébrait chaque année la fête de l'Expiation. Ce jour-là, le grand prêtre, prenant le sang du sacrifice, symbole de la vie du peuple, entrait dans le saint des saints et aspergeait

---

27. Rom. **5**, 19.
28. Héb. **9**, 15.
29. Mt. **26**, 28.

de sang le propitiatoire. Plaque d'or massif, située au sommet de l'arche d'alliance, celui-ci était le lieu de la manifestation de Dieu à Israël, et le rite signifiait la réconciliation du peuple avec Dieu et la réaffirmation de la communauté de vie, établie par l'Alliance entre Dieu et son peuple et compromise par le péché. Lorsque saint Paul écrit que

Dieu a destiné [le Christ Jésus] à être propitiatoire en son sang, moyennant la foi [30],

il veut dire que le sacrifice du Christ est le sacrifice décisif de l'Expiation qui libère les hommes du péché et les unit à Dieu d'une manière vitale.

Le sacrifice du Christ est également le sacrifice de la *Pâque nouvelle*. A l'appui de cette affirmation on pourrait trouver des textes dans tout le Nouveau Testament :

Notre pâque (notre agneau pascal), le Christ, a été immolée,

écrit saint Paul [31], et saint Jean l'affirme équivalemment dans le récit de la Passion. Quand les soldats, après avoir brisé les jambes des deux larrons, jugent inutile de le faire pour Jésus qui est déjà mort, l'évangéliste ajoute :

Cela est arrivé pour que s'accomplît l'Ecriture :
« On ne lui brisera pas un os [32]. »

En rappelant ces paroles, qui se rapportaient à l'immolation de l'agneau pascal [33], à l'heure même où, à quelques centaines de mètres du calvaire, les Juifs immolaient au temple les agneaux pour la Pâque, saint Jean veut mon-

---

30. Rom. 3, 25 — Dans la *Bible de Jérusalem*, le R.P. Lyonnet traduit : « l'a exposé, instrument de propitiation par son propre sang »— ; Lév. 4, 3-21 et 16, 1-34.
31. 1 Cor. 5, 7.
32. Jn. 19, 36.
33. Ex. 12, 46 ; il y a peut-être aussi une allusion au juste du Ps 34, 21.

trer en Jésus l'*agneau de la nouvelle Pâque*, celui *du nouvel Exode par lequel l'humanité passe de ce monde au Royaume du Père*, quitte l'esclavage du péché pour la liberté des enfants de Dieu.

LA RÉSURRECTION

La caractère pascal du sacrifice du Christ montre la continuité dynamique qui existe entre la mort et la Résurrection du Christ. Il serait insuffisant, en effet, de ne voir dans la Résurrection de Jésus que la récompense de son offrande héroïque ou un simple signe de son acceptation par le Père. L'établissement définitif et glorieux du Christ auprès de son Père est l'*aboutissement normal du don total de Lui-même* qu'Il a fait sur la croix : la résurrection est dans la logique de cette *attitude spirituelle qu'elle consacre définitivement*. Or, de même qu'à la croix le Christ n'agit pas comme un individu isolé, mais comme chef de tout le genre humain, et qu'ainsi son offrande inclut radicalement la nôtre, de même sa résurrection est celle du chef de tout le genre humain et constitue les *prémices de notre résurrection :*

Le Christ est ressuscité des morts, prémices de ceux qui se sont endormis [34].

La résurrection est aussi l'*achèvement de la carrière messianique de Jésus :* ressuscité glorieux à la droite du Père, établi en son humanité dans sa *pleine dignité de Seigneur et de Messie*, Jésus, après avoir offert sa vie sur la croix, est *mis en possession de l'Esprit et le répand sur le monde* selon les promesses faites pour l'époque messianique. Depuis la Pentecôte, qui, selon l'expression du R.P. Congar, n'est que Pâques avec son fruit [35], son rôle de Messie est celui de Seigneur sanctifiant et assistant continuellement l'Eglise de son Esprit :

---

34. 1 Cor. 15, 20.
35. Y. Congar, *La Pentecôte Chartres 1956*, Paris 1956, p. 33.

Exalté par la droite de Dieu, Il a reçu du Père l'Esprit-Saint, objet de la promesse, et l'a répandu [36].

C'est au Seigneur ressuscité que le chrétien est uni par la grâce lors du baptême, c'est Lui qu'il prie, c'est Lui qu'il reçoit dans l'Eucharistie ; c'est le Seigneur ressuscité, actuellement vivant, qui, à chaque instant de l'histoire, travaille le monde en lui envoyant l'Esprit-Saint.

LE CHRIST, SOURCE DE GRACE ET DE VERITE

Après avoir affirmé le fait de l'Incarnation, saint Jean, à la fin du prologue, met en parallèle Moïse, par lequel fut donnée la Loi, et Jésus qui nous communique la grâce et la vérité :

La Loi fut donnée par l'intermédiaire de Moïse,
la grâce et la vérité nous sont venues par Jésus-Christ [37].

En apportant au monde *la Vérité* et *La Vie,* le Christ répond aux aspirations les plus fondamentales de l'homme dans le domaine religieux, à son désir de connaître Dieu et de communier à sa vie. Dans les religions non révélées on trouve d'admirables efforts pour s'élever à la connaissance de Dieu et dans l'Ancien Testament on voit Moïse demander à Dieu de lui faire connaître son Nom et contempler sa gloire [38]. Le Christ comble ce besoin en révélant à l'homme ce que sa raison était incapable de connaître : *le plan divin du salut,* que saint Paul appelle le Mystère, et *l'existence en l'unique Dieu de trois Personnes,* distinctes mais égales, *le Père, le Fils et l'Esprit-Saint ;* si le mystère de la Trinité demeure incompréhensible pour la raison humaine, sa révélation donne cependant une lumière insoupçonnée sur l'intimité de la vie de Dieu :

36. Act. 2, 33.
37. Jn. 1, 17.
38. Ex, 3, 13 ; 33, 18.

Nul n'a jamais vu Dieu ;
  le Fils unique, qui est dans le sein du Père,
  lui, l'a fait connaître [39].

Le Christ donne aussi à l'homme la grâce qui lui permet
de *participer à la vie divine* :

A tous ceux qui l'ont reçu,
  il a donné pouvoir de devenir enfants de Dieu [40].

Dans l'expression réfléchie de ses aspirations à communier à la vie de Dieu, l'homme se heurtait à un double obstacle : affirmer l'existence de cette communion au risque
de compromettre le caractère transcendant et personnel de
Dieu, ou refuser la possibilité de cette communion par
souci de maintenir la transcendance divine. La grâce reçue
de la plénitude du Christ [41] ne fait, évidemment, pas de
l'homme une personne divine — Jésus reste le Fils unique — mais elle le rend participant de sa vie filiale, capable de tendre vers Dieu dans le mystère de sa vie in-
time, familiale, elle le fait « *fils dans le Fils* [42] » :

Voyez quel grand amour nous a donné le Père,
  pour que nous soyons appelés enfants de Dieu
  — car nous le sommes [43].

Cette vie reçue du Christ transfigure la vie religieuse
de l'homme et ses rapports avec le prochain : devenu
« fils dans le Fils », il prend à l'égard du Père une attitude de fils et voit dans son prochain un frère dans le
Christ ou quelqu'un appelé à le devenir ; tout est renouvelé depuis qu'il a reçu du Christ la vie surnaturelle qui

---

39. Jn. 1, 18. Voir dans les ouvrages de théologie les précisions
sur le sens de « personne » et sur l'énoncé du mystère.
40. Jn. 1, 13.
41. Jn. 1, 16 ss.
42. Expression du P. Mersch dans *La théologie du Corps mystique*, 3ᵉ éd., t. 2, Paris 1949, p. 9.
43. 1 Jn. 3, 1.

lui permet de connaître et d'aimer Dieu comme Père, Fils et Esprit-Saint.

LE COMMANDEMENT NOUVEAU

La mission et l'œuvre de Jésus sont l'expression de l'amour de Dieu. Le don de la vérité et de la vie permet à l'homme de répondre à cet amour. Quoi d'étonnant dès lors si le commandement donné par Jésus à ses disciples est un commandement d'amour ?

> Je vous donne un commandement nouveau :
>   aimez-vous les uns les autres.
> Oui, comme je vous ai aimés,
>   vous aussi, aimez-vous les uns les autres.
> A ceci tous vous reconnaîtrez pour mes disciples :
>   à cet amour que vous aurez les uns pour les autres [44].

Déjà, sous l'Ancien Testament, il y avait un précepte d'amour fraternel :

> Tu n'auras pas dans ton cœur de haine pour ton frère...
> Tu ne te vengeras pas et tu ne garderas pas de rancune envers les enfants de ton peuple. Tu aimeras ton prochain comme toi-même. Je suis Yahweh,... L'étranger qui réside avec vous sera pour vous comme un compatriote et tu l'aimeras comme toi-même,... Je suis Yahweh votre Dieu [45].

Le commandement d'amour fraternel donné aux disciples est nouveau à plus d'un titre. Il l'est parce qu'il constitue la *marque distinctive de la Nouvelle Alliance* et de ceux qui y appartiennent : à la suite du Christ, les apôtres souligneront très nettement ce point capital du Christianisme [46]. Il est aussi nouveau parce qu'il *repose sur un principe nouveau*, non plus seulement l'amour de Yahweh

---

44. Jn. **13**, 34-35.
45. Lév. 19, 17-18, 34.
46. 1 Cor. **13** ; épitres de Jn. et de Jacques.

faisant sortir Israël d'Egypte, mais *l'amour du Christ poussé jusqu'à la mort* et devenant le fondement de la charité chrétienne. Enfin il est nouveau parce que le Christ l'a *porté à une perfection nouvelle dans son objet et sa mesure :* le précepte du Lévitique concernait les Israélites et les étrangers vivant au milieu du peuple, le commandement du Christ est d'un universalisme plus absolu et concerne tous les hommes ; bien plus, le précepte du Lévitique prescrivait d'aimer le prochain comme soi-même, tandis que le commandement de charité donné par le Christ demande d'aimer le prochain comme le Christ a aimé, c'est-à-dire d'un amour susceptible d'aller jusqu'au sacrifice de soi-même.

Pareil précepte ne laisse pas de place à l'acceptation consciente d'une vie médiocre : « C'est comme amour que le Christianisme s'est révélé au monde antique et les chrétiens devront en tout temps demeurer ceux qui aiment ou cesser d'être chrétiens [47]. »

NOTRE ATTITUDE EN FACE DU CHRIST

A la fin de l'Evangile, saint Jean indique en quelques mots le but qu'il se proposait en l'écrivant :

Jésus a accompli en présence des disciples encore bien d'autres signes, qui ne sont pas relatés dans ce livre. Ceux-là l'ont été pour que vous croyiez que Jésus est le Christ, le Fils de Dieu, et qu'en croyant vous ayez la vie en son nom [48].

L'attitude *essentielle de l'homme en face du Christ est la foi ;* ceci n'est pas en contradiction avec ce qui a été dit plus haut concernant la charité, car la foi dont il est question ici *implique l'attitude de charité.* En présence du

---

47. W. Grossouw, *Pour mieux comprendre saint Jean,* Malines, 1946, p. 43.
48. Jn. **20,** 30-31.

Verbe incarné il s'effectue comme un partage entre ceux qui refusent volontairement de croire en Lui et ceux qui, aidés de la grâce, mais pleinement libres, acceptent son témoignage, croient en sa personne et reçoivent la vie :

> Il est venu chez lui
> et les siens ne l'ont pas reçu.
> Mais à tous ceux qui l'ont reçu,
> il a donné pouvoir de devenir enfants de Dieu,
> à ceux qui croient en son nom [49].

La foi dont parle saint Jean est la *foi en une personne, celle du Christ :* cela explique la place de la personne du Christ dans la vie d'un chrétien. Cette foi est l'*accueil de la parole que Dieu dit en son Fils :* on saisit par là l'importance de la connaissance de l'Evangile pour le croyant et la nécessité pour lui d'orienter toute sa vie spirituelle en fonction du message et du mystère du Christ (Incarnation-Passion-Résurrection). C'est également une *foi remplie d'espérance :*

> Dans le monde vous aurez à souffrir.
> Mais gardez courage !
> J'ai vaincu le monde [50].

Elle est enfin une *foi qui inclut l'acceptation de la volonté de Dieu exprimée dans la parole et le message du Christ :* sans cet aspect d'engagement, la foi ne serait pas totalement sincère : « recevoir le Christ » c'est adopter devant Lui une attitude religieuse qui engage toute la personne et toute la vie ; la foi au sens johannique et paulinien du mot s'accompagne nécessairement de charité. « La vraie foi, la seule authentique, implique le don total de sa personne à celle du Christ [51]. »

---

49. Jn. 1, 11-12.
50. Jn. 16, 33.
51. W. Grossouw, *op. cit.*, p. 114.

LECTURES

Jean 1, 1-18.
Ephésiens 1, 3-19.
Philippiens 2, 6-11.
1 Corinthiens 1, 17-2, 9.
Romains 5, 1-21.
Actes 2, 14-36.
1 Jean 3, 1-2.
Romains 8.

CHAPITRE DOUZIÈME

L'ÉGLISE

L'EGLISE DANS LA CONTINUITE DE L'HISTOIRE DU SALUT

L'Eglise s'insère dans la continuité du dessein de salut comme *le peuple de l'Alliance Nouvelle succédant au peuple de l'Ancienne Alliance.* Saint Paul n'hésite pas à reconnaître en Abraham, père du peuple choisi, le père des chrétiens, qu'ils soient ou non ses descendants selon la chair :

Si vous appartenez au Christ, vous êtes la descendance d'Abraham, héritiers selon la promesse [1].

Le peuple chrétien forme, selon l'expression de l'Apôtre, « l'Israël de Dieu [2] », et saint Pierre, s'adressant aux communautés chrétiennes en termes repris de l'Ancien Testament, écrit :

Vous, vous êtes une race élue, un sacerdoce royal, une nation sainte, un peuple acquis, pour annoncer les louanges de Celui qui vous a appelés des ténèbres à son admirable lumière, vous

---

1. Gal. **3**, 29.
2. Gal. **6**, 16.

qui jadis n'étiez pas un peuple et qui êtes maintenant le Peuple de Dieu [3].

La continuité qui existe entre le peuple de la Nouvelle Alliance et celui d'Israël se traduit jusque dans le vocabulaire du Nouveau Testament. L'expression « Eglise de Dieu » désignait, dans l'Ancien Testament, l'assemblée (dans le grec de la version des Steptante : *ekklesia*) des Israélites réunis par Moïse sur l'ordre de Yahweh, et l'on parlait du « jour de l'Assemblée » pour rappeler le jour où l'assemblée sainte avait reçu la Loi au Sinaï [4] : quand saint Paul parle de l' « Eglise de Dieu qui est à Corinthe » ou, dans les épîtres de la captivité, de « l'Eglise », il transpose à la communauté chrétienne des expressions qui désignaient Israël, indiquant ainsi qu'elle constitue le nouveau peuple de Dieu. Lorsque le Christ parle de *son Eglise,* c'est, assurément, pour la distinguer du peuple de l'Ancienne Alliance, mais également pour montrer que le peuple de la Nouvelle Alliance prend place à la suite de celui-ci dans le déroulement de l'histoire du salut.

A ce propos il faut dire de l'Eglise ce qui a été dit précédemment de l'œuvre du Christ : elle est *à la fois en continuité et en discontinuité avec l'Ancien Testament,* le Christ ayant accompli la Loi en une réalité supérieure. L'Eglise est le peuple de la Nouvelle Alliance préfiguré historiquement par le peuple de l'Alliance Ancienne, mais elle n'est pas le peuple de Dieu en ce sens « qu'elle aurait hérité du statut de l'ancien peuple de Dieu, ou parce qu'on pourrait la rapprocher de cet ancien peuple et l'y assimiler au moins partiellement [5] ».

Le choix d'Israël comme dépositaire des promesses et de

---

3. 1 Petr. 2, 9-10.
4. Deut. 18, 16. — Voir Mgr L. Cerfaux, *La théologie de l'Eglise suivant saint Paul,* 2ᵉ éd., Paris 1948, pp. 69 ss.
5. A. Chavasse, *Du peuple de Dieu à l'Eglise du Christ,* dans *La Maison-Dieu,* n. 32, p. 49.

la Révélation était orienté vers le Christ et l'Eglise, et son caractère particulier était le signe qu'il ne pouvait être que provisoire et préparatoire à une réalisation plus universelle et plus parfaite. L'Eglise *n'est pas liée à un peuple déterminé, elle est universelle :* « Au lieu d'être l'assomption d'un groupement humain, comme l'ancien peuple de Dieu, elle les transcende tous sans exception [6]. »

Il n'y a ni Juif ni Grec, il n'y a ni esclave ni homme libre, il n'y a ni homme ni femme ; car tous vous ne faites qu'un dans le Christ Jésus [7].

Les structures particulières de la Loi ont disparu, accomplies en une réalité plus parfaite, et n'ont plus leur raison d'être : c'est ce que souligne la solution du conflit entre les judaïsants et les chrétiens venus du paganisme, à l'époque de saint Paul. L'Eglise *n'est pas,* comme le peuple d'Israël, *dans l'attente de la réalisation des promesses ;* si elle attend le retour du Seigneur, pour l'essentiel elle *possède* déjà *en sa communion la réalité du salut:* de ce point de vue, on peut dire qu'à la religion de l'attente a succédé la religion de la possession [8]. Enfin, à la différence de l'institution religieuse israélite, l'Eglise, parce que corps du Christ, est le moyen et le milieu même de l'union avec Dieu: « Nous sommes en présence d'un statut métaphysique entièrement nouveau de l'institution religieuse. Celle-ci, dans l'Ancienne Alliance, n'est pas *l'instrument et le milieu même de l'union avec Dieu.* Elle signifie l'union à venir, et elle ne coopère à la procurer par anticipation qu'à raison de l'annonce qu'elle en fait. Maintenant, l'institution religieuse procure par elle-même l'union avec Dieu [9]. »

---

6. *Id.,* p. 52.
7. Gal. 3, 28.
8. A. Chavasse, *ibid.,* pp. 46-48.
9. *Id.,* p. 48 — c'est nous qui soulignons.

LE CHRIST ET L'EGLISE

C'est qu'en effet, entre l'Eglise et le Christ, il n'y a pas seulement continuité, mais prolongement, union vitale.

L'Eglise a été *fondée par le Christ :*

Tu es Pierre, dit Jésus à Simon, et sur cette pierre *je* bâtirai mon Eglise [10].

C'est le Christ qui a choisi les disciples et les apôtres, qui les a formés et envoyés en mission, qui leur a donné l'Esprit-Saint.

C'est aussi *du Christ* que l'Eglise *tient les promesses de la vie éternelle.* La dernière parole de Jésus en saint Matthieu en est un témoignage :

Et moi, je suis avec vous pour toujours, jusqu'à la fin du monde [11].

Il ne s'ensuit pas que l'Eglise ne puisse subir un échec ou un recul, sur tel ou tel point du globe à un moment ou l'autre de l'histoire, mais le chrétien, celui des premières persécutions comme celui qui vit aujourd'hui, trouve dans cette parole du Christ une singulière assurance, et le message de l'Apocalypse est destiné à rappeler à ceux qui souffrent pour leur foi les promesses d'éternité faites par le Christ à son Eglise :

Les portes de l'Enfer ne pourront rien contre elle [12].

C'est encore la *foi au Christ qui rassemble l'Eglise* dans l'unité : on y entre par le baptême « au nom du Seigneur Jésus [13] ». De même que la foi en Yahweh était le signe distinctif des Israélites et faisait leur unité, de même la

---

10. Mt. **16,** 18.
11. Mt. **28,** 20.
12. Mt. **16,** 18 — trad. Osty.
13. Act. **19,** 5.

foi en Jésus comme Seigneur est le signe distinctif des chrétiens et fait leur unité, et saint Paul, écrivant à la communauté de Corinthe, étend le souhait qu'il formule au début de sa lettre à

tous ceux qui, en quelque lieu que ce soit, invoquent le nom de Jésus-Christ notre Seigneur [14].

Sacrement de la foi, le baptême est une nouvelle naissance. Rassemblée dans la foi au Seigneur Jésus, l'Eglise *vit du Christ et en Lui*. A ce propos, on ne saurait oublier l'importance que le Christ attache à l'Eucharistie, sacrement par excellence auquel le baptême lui-même est orienté et par lequel le Sauveur répand continuellement la vie dans l'Eglise :

En vérité, en vérité, je vous le dis,
si vous ne mangez la chair du Fils de l'Homme
et ne buvez son sang,
vous n'aurez pas la vie en vous.
Qui mange ma chair et boit mon sang a la vie éternelle
et je le ressusciterai au dernier jour...
De même qu'envoyé par le Père, qui est vivant,
moi, je vis par le Père,
de même celui qui me mange
vivra lui aussi, par moi [15].

La réalité de l'union vitale du Christ et de l'Eglise est exprimée par Jésus dans l'allégorie de la vigne et par saint Paul dans les textes qu'il consacre à l'Eglise, corps du Christ.

Le peuple d'Israël était la vigne dont parlait Isaïe dans les débuts de son ministère [16] ; le nouveau peuple de Dieu est la vigne véritable qui tient la vie de son union avec le

---

14. 1 Cor. 1, 2.
15. Jn. 3, 5 (baptême) et 6, 53-54, 57 (eucharistie).
16. Is. 5, 1-7 ; thème que l'on trouve chez plusieurs prophètes et, aujourd'hui, jusque sur certaines monnaies de l'Etat israélien.

Christ : c'est ce qui ressort du discours après la Cène où Jésus se présente comme le cep véritable en lequel il est absolument nécessaire de demeurer pour porter du fruit :

> Je suis le vrai cep...
> De même que le sarment ne peut pas de lui-même porter
> du fruit,
>   sans demeurer sur le cep,
>   ainsi vous non plus, si vous ne demeurez en moi.
> Je suis le cep ;
>   vous êtes les sarments.
> Qui demeure en moi, comme moi en lui,
>   porte beaucoup de fruit ;
>   car hors de moi vous ne pouvez rien faire [17].

Quand il aborde le thème de l'Eglise Corps du Christ, saint Paul insiste tantôt sur l'union étroite des chrétiens au Christ et sur leur solidarité qui en découle [18], tantôt sur l'influx vivificateur que le Christ « Tête » communique à l'Eglise :

> Nous grandirons de toute manière vers Celui qui est la tête, le Christ, dont le corps tout entier reçoit concorde et cohésion par toutes sortes de jointures qui le nourrissent et l'actionnent selon le rôle de chaque partie, opérant ainsi sa croissance et se construisant lui-même, dans la charité [19].

Dans le texte sur l'Eglise épouse du Christ l'Apôtre met davantage en relief l'union et la soumission, dans l'amour, de l'Eglise à celui qui, sans cesser d'être le « sauveur du corps », est aussi son chef [20].

Cette union du Christ et de l'Eglise permet de mieux comprendre la place de celle-ci dans le plan de Dieu : l'existence même de l'Eglise *se situe dans la ligne de l'Incarna-*

---

17. Jn. 15, 1-5.
18. 1 Cor. 12, 12 ss.
19. Eph. 4, 15-16.
20. Eph. 5, 22-32.

tion, du mystère de Dieu se faisant homme et s'insérant dans l'histoire humaine pour sauver les hommes. L'union de l'Eglise au Verbe incarné, la transmission de l'Evangile par des hommes, son expression écrite dans les livres inspirés qui composent le Nouveau Testament, l'existence des sacrements, gestes significatifs et porteurs de la grâce du Christ (le baptême, ce « bain d'eau qu'une parole accompagne [21] »), la constitution d'une liturgie autour de la « fraction du pain [22] », l'institution des apôtres et des chefs d'églises, comme il en existe analogiquement dans toute société humaine, tout ceci ne réduit pas l'Eglise à une société purement humaine, mais aide à voir sa place dans le prolongement de l'Incarnation.

L'ESPRIT DE L'EGLISE

Dans l'Ancien Testament l'effusion de l'Esprit avait été promise pour l'ère messianique : Pierre le rappellera dans le discours de la Pentecôte en citant un passage de Joël prédisant l'effusion universelle de l'Esprit [23]. Dans le discours après la Cène et avant l'Ascension, Jésus lui-même avait promis aux apôtres le don de l'Esprit-Saint :

Jean, lui, a baptisé avec de l'eau, mais vous, c'est dans l'Esprit-Saint que vous serez baptisés sous peu de jours [24].

Mort, ressuscité et exalté à la droite du Père, Jésus, au jour de la Pentecôte, achève son rôle messianique en répandant sur l'Eglise l'Esprit-Saint promis : plénitude de Pâques, le mystère de la Pentecôte, qui se continue pendant

---

21. Eph. 5, 26.
22. Act. 2, 42.
23. Act. 2, 16-21 ; Joël 3, 1-5.
24. Act. 1, 5.

toute la durée de l'Eglise, est le dernier mystère christologique avant le Retour du Christ. Dans une théophanie qui est à la fois son « baptême », le don de sa Loi intérieure et son départ missionnaire, l'Eglise reçoit solennellement l'Esprit-Saint. Ce don est pour elle un événement décisif, car il marque définitivement sa condition religieuse : l'Esprit que le Christ communique à l'Eglise est pour elle lumière, vie et force.

L'Esprit *éclaire l'Eglise en lui faisant prendre conscience de la richesse de la Révélation faite par le Christ.* Dans le discours après la Cène Jésus avait dit aux apôtres :

> Je vous ai dit ces choses,
>   alors que je demeurais avec vous.
> Mais le Paraclet, l'Esprit-Saint,
>   que le Père enverra en mon nom,
>   vous enseignera tout
>   et vous rappellera tout ce que je vous ai dit [25].

L'Esprit-Saint donné à la Pentecôte a éclairé l'Eglise : certains faits et gestes du Sauveur n'ont été compris qu'à ce moment par les apôtres [26], et le Nouveau Testament témoigne de leur prise de conscience de plus en plus profonde du message de Jésus sous l'influence de l'Esprit-Saint. Avec la période apostolique la Révélation s'est terminée, mais l'Esprit continue à éclairer l'Eglise. A sa lumière elle continue à scruter le message du Christ, à en explorer tous les aspects et toutes les virtualités, en le vivant, en l'annonçant au monde, en en faisant l'objet de sa contemplation et de sa réflexion de foi : la Tradition n'est pas l'invention de vérités nouvelles, mais la transmission, dans une explication de plus en plus parfaite, des richesses de la Révélation.

L'Esprit *vivifie et sanctifie l'Eglise.* Il l'habite comme un

---

25. Jn. 14, 25-26.
26. Le signe du Temple, Jn. 2, 22 ; l'entrée messianique à Jérusalem, Jn. 12, 16.

temple [27]. Il oriente et inspire la prière des chrétiens vers
le Père :

Dieu a envoyé dans nos cœurs l'Esprit de son Fils qui crie :
Abba, Père !
L'Esprit vient au secours de notre faiblesse ; car nous ne
savons que demander pour prier comme il faut ; mais l'Esprit
lui-même intercède pour nous en des gémissements ineffables [28].

Conjointement avec le Père et le Fils, il répartit les dons
spirituels et les vocations dans l'Eglise :

Il y a certes diversité de dons spirituels, mais c'est le même
Esprit... Tout cela, c'est le seul et même Esprit qui l'opère, dis-
tribuant ses dons à chacun en particulier comme il l'entend [29].

Malgré le sens couramment donné aujourd'hui au mot
« charisme », on s'aperçoit, en parcourant les listes de dons
spirituels qui se trouvent dans les épîtres pauliniennes [30],
qu'elles mentionnent à côté de dons mystiques ou extraordinaires des ministères qui ne présentent pas de caractère
exceptionnel (apôtres, pasteurs, docteurs, don de gouvernement, d'assistance...). Il n'y a donc pas lieu d'opposer les
« charismes » aux fonctions ecclésiales : les uns et les autres sont des dons de l'Esprit. A ce propos il est utile d'observer que le Christ envoie l'Esprit à l'Eglise concrète qu'Il
a instituée, et il faut se garder d'opposer l'esprit sanctifiant à ce qui est contenu dans le message du Christ ou à
ce qui est institutionnel dans l'Eglise fondée par Jésus :
« Si le Saint-Esprit est vraiment actif, s'il ne faut pas valo-
riser l'institution ecclésiale de façon si exclusive, si purement juridique, que, pratiquement, le Saint-Esprit serait
comme mis à la retraite, ce serait une erreur au moins
aussi grave, et certainement plus dangereuse, de s'adresser

---

27. 1 Cor. 3, 16.
28. Gal. 4, 6 ; Rom. 8, 26.
29. 1 Cor. 12, 4, 11.
30. 1 Cor. 12, 8-10, 28-30 ; Rom. 12, 6-8 ; Eph. 4, 11-12.

au Saint-Esprit et d'attendre tout directement de lui, en faisant abstraction du donné positif, de l'institution du Seigneur, qu'il a mission, précisément, d'effectuer et d'actualiser en nous [31]. »

L'Esprit-Saint *porte l'Eglise à témoigner du Christ et la soutient dans son témoignage.* Avant de quitter ce monde, Jésus avait annoncé aux apôtres :

Vous allez recevoir une force, celle de l'Esprit-Saint qui descendra sur vous. Vous serez alors mes témoins à Jérusalem, dans toute la Judée et la Samarie, et jusqu'aux confins de la terre [32].

Les récits du livre des Actes montrent à chaque instant le dynamisme missionnaire que le Saint-Esprit communique à l'Eglise et la force qu'Il lui donne dans la persécution, selon la parole de Jésus :

Quand on vous livrera, ne cherchez pas avec inquiétude comment parler ou que dire : ce que vous aurez à dire, vous sera donné sur le moment, car ce n'est pas vous qui parlerez, c'est l'Esprit de votre Père qui parlera en vous [33].

Aujourd'hui encore l'Esprit suscite dans l'Eglise des missionnaires et des apôtres, et soutient les chrétiens dans leur témoignage. Récemment, une étudiante chinoise à qui l'on demandait raison de sa foi répondait :

« Notre organisation secrète c'est l'Esprit-Saint. En Mandchourie, en Afrique, en Amérique, en Europe, ici, partout les catholiques croient en disent tous la même chose parce que c'est le même Esprit qui habite notre cœur et parle par notre bouche. C'est lui qui met dans ma bouche les paroles que je vous dis et c'est pourquoi je dis la même chose que les catholiques du monde entier. »

31, Y. Congar, *La Pentecôte, Chartres 1956*, p. 48.
32. Act. 1, 8.
33. Mt. 10, 19-20.

LA MISSION DE L'EGLISE

La mission de l'Eglise prolonge celle du Christ venu apporter au monde la Vérité et la Vie : elle est d'incorporer progressivement l'humanité au Christ ressuscité en lui communiquant la vie et la vérité que l'Eglise tient de son chef. Parce qu'elle est le corps du Christ, l'Eglise ne les communique pas comme des réalités extérieures qu'elle transmettrait du dehors : elle est le lieu même où se réalise la communion au Christ dans la vérité et la vie.

L'Eglise a été chargée par le Christ d'*annoncer au monde l'Evangile*. Au moment de quitter les Onze, Jésus leur dit :

Allez par le monde entier, proclamez l'Evangile à toute la création [34].

Ecrivant aux Ephésiens, saint Paul leur confie qu'il a été choisi pour

annoncer aux païens l'insondable richesse du Christ et mettre en pleine lumière la dispensation du Mystère : il a été tenu caché depuis les siècles en Dieu, le Créateur de toutes choses, pour que les Principautés et les Puissances célestes aient maintenant connaissance, par le moyen de l'Eglise, de la sagesse infinie en ressources déployée par Dieu en ce dessein éternel... [35]

« Organe officiel par lequel Dieu lui-même annonce au monde l'Evangile [36] », l'Eglise remplit cette mission dans la proclamation du message. On sait la place que tient la Parole dans le livre des Actes et la conscience qu'avait saint Paul d'être redevable de l'Evangile qu'il avait reçu :

Prêcher l'Evangile n'est pas pour moi un titre de gloire ; c'est une nécessité qui m'incombe. Oui, malheur à moi si je ne prêchais pas l'Evangile [37] !

---

34. Mc. 16, 15 — trad. Osty.
35. Eph. 3, 8-11.
36. J. Daniélou, *Essai sur le mystère de l'histoire*, p. 275.
37. 1 Cor. 9, 16.

Dans le même esprit, il s'adresse à Timothée :

> Je t'adjure devant Dieu et devant le Christ Jésus..., proclame la parole, insiste à temps et à contretemps, réfute, menace, exhorte, avec une patience inlassable et le souci d'instruire [38].

Les écrits du Nouveau Testament montrent avec quel soin l'Eglise primitive transmettait le message.

> Il y a un seul Seigneur, une seule foi, un seul baptême,

affirme saint Paul [39], et, devant les menées des judaïsants, il avertit les Galates :

> Si nous-même, si un ange venu du ciel vous annonçait un Evangile différent de celui que nous vous avons prêché, qu'il soit anathème [40] !

L'Eglise qui se sait responsable de la proclamation du message du Christ ne se reconnaît pas le droit de l'altérer : elle préfère encourir le reproche d'intransigeance ou d'opportunisme plutôt que de se montrer infidèle à sa mission en accommodant la foi et la morale de l'Evangile aux égoïsmes de toute espèce.

L'annonce de l'Evangile par l'Eglise ne se fait pas uniquement par la prédication : la vie de l'Eglise est à sa manière une proclamation du message. La charité est le signe qui fait reconnaître les chrétiens comme disciples du Christ, et leur unité est pour le monde un signe de l'authenticité de la mission du Christ et de son amour pour eux :

> ... qu'ils soient parfaitement un,
> et que le monde sache que tu m'as envoyé
> et que je les ai aimés comme tu m'as aimé [41].

L'Eglise a aussi mission de *communiquer aux hommes la vie surnaturelle* :

---

38. 2 Tim. 4, 1-2.
39. Eph. 4, 5.
40. Gal. 1, 8.
41. Jn. 17, 23.

De toutes les nations faites des disciples, les baptisant au nom du Père, du Fils, et du Saint-Esprit, et leur apprenant à observer tout ce que je vous ai prescrit [42].

L'Eglise transmet la vie du Christ et fait tendre vers la sainteté les hommes régénérés par le baptême : sacrements, prière liturgique, éducation pastorale de la charité concourent, à des titres divers, à cette œuvre sanctificatrice par laquelle l'humanité passe progressivement du monde ancien au monde nouveau. L'Eglise communique la vie surnaturelle parce qu'elle est le corps dont le Christ est la tête, et il n'y a pas à distinguer la vie dans le Christ et la vie dans l'Eglise : le baptême qui unit au Christ incorpore en même temps à l'Eglise :

Aussi bien est-ce en un seul Esprit que nous tous avons été baptisés pour ne former qu'un seul corps [43].

L'Eucharistie qui unit au Christ réalise l'unité de l'Eglise :

Puisqu'il n'y a qu'un pain, à nous tous nous ne formons qu'un corps, car tous nous avons part à ce pain unique [44].

Chacun des sacrements communique ainsi la vie du Christ et incorpore plus intensément à cette Eglise qui doit à son Chef d'être médiatrice de vie et de sainteté.

C'est pour aider l'Eglise à remplir cette mission d'évangélisation et de sanctification que le Christ lui a donné une *Hiérarchie* et l'assiste infailliblement. Il a lui-même choisi les Apôtres et les a établis pasteurs de son Eglise, Il a promis et donné à Pierre la primauté au sein du collège apostolique. L'histoire des premières communautés montre l'importance de Pierre et des Apôtres dans la vie de l'Eglise primitive, et, si l'on excepte certains privilèges

---

42. Mt. 28, 19-20.
43. 1 Cor. 12, 13.
44. 1 Cor. 10, 17.

propres aux Apôtres, cette hiérarchie se continue authentiquement aujourd'hui en la personne du Souverain Pontife et dans le collège des Evêques, avec son triple pouvoir
de magistère, de gouvernement et d'ordre. L'institution
de la hiérarchie donne au pape et aux évêques des pouvoirs
et des responsabilités particulières dans l'évangélisation,
la pastorale et le culte, mais ne rend pas les autres membres de l'Eglise étrangers à la mission qu'elle a reçue du
Christ. Chacun, à la place qu'il y occupe, est appelé à travailler en communion avec les pasteurs à l'annonce de
l'Evangile et à la sanctification du monde par le Christ [45].

---

45. Ce serait le lieu d'expliquer comment le Pape et les Evêques sont les successeurs légitimes de Pierre et des apôtres. Il
faudrait pour cela étudier en détail les textes qui concernent la
promesse de Jésus à Pierre (Mt. 16, 13-20), sa primauté (Lc. 22,
31 ; Jn. 21, 15-17), l'institution des Apôtres par Jésus et la
mission qu'Il leur confie, la promesse de l'assistance de l'Esprit-
Saint à l'Eglise. Il faudrait aussi montrer comment l'Eglise a
vécu l'institution hiérarchique que lui a donnée le Christ :
importance de Pierre et des apôtres dans les Actes et les épîtres
— passage de communautés dirigées par un conseil d'anciens
supervisé par les apôtres à des communautés gouvernées chacune par un évêque monarchique telles qu'on les rencontre à
l'époque de saint Ignace d'Antioche (les épîtres pastorales reflètent cette période de transition qui correspond à la fin de la vie
des apôtres). Il faudrait enfin montrer comment l'Eglise assistée
par l'Esprit-Saint a compris dès le début que les promesses et
les paroles adressées directement aux apôtres et à Pierre par
Jésus dépassaient dans son intention la durée de leur vie terrestre et établissaient en leur personne une hiérarchie définitive
qui durerait aussi longtemps que le pèlerinage terrestre de
l'Eglise. Le cadre de cette étude ne permet pas de donner ici
l'exposé théologique qui serait nécessaire : on le trouvera dans
les traités de théologie consacrés à l'Eglise. Pour une première,
mais sérieuse, vue d'ensemble, voir P.-A. Liégé, Le mystère de
l'Eglise, dans Initiation théologique, t. 4, 2e éd., Paris 1956. On
consultera encore cet ouvrage ou un traité de l'Eglise pour
connaître avec précision le fondement, l'objet, les conditions et
l'extension de l'infaillibilité dans l'Eglise.

ASPECTS DE L'EGLISE

Si l'Eglise occupe une telle place dans le plan de Dieu et a une mission si importante dans le monde, si elle est indissolublement unie au Christ et animée par l'Esprit-Saint, comment se fait-il qu'elle soit souvent pour nos contemporains un sujet de scandale ou d'incompréhension? Ces réactions viennent le plus fréquemment de ce que l'on juge de l'extérieur et comme une institution purement humaine l'Eglise qui est un mystère ou de ce que l'on n'a pas saisi certains aspects de sa complexité vivante.

Les justifications historiques, exégétiques et rationnelles ne manquent pas à l'Eglise, et le chrétien se doit de les connaître, mais l'Eglise n'est pas un problème qu'il faut résoudre : c'est un *mystère de vie qu'il faut comprendre de l'intérieur*. Comme le Mystère du salut, dont elle fait partie, l'Eglise ne se comprend plus parfaitement qu'au fur et à mesure que l'on devient adulte dans le Christ et que l'on s'enracine dans la charité : « l'Eglise n'est pleinement compréhensible que pour qui se met dans sa perspective intérieure, et finalement pour qui vit en elle [46]. »

Ce qui heurte souvent le non-croyant lorsqu'il rencontre l'Eglise, ce sont les imperfections et les péchés qu'il constate chez les chrétiens. Sainte de la sainteté du Christ qui lui communique la grâce, sainte dans les sacrements qu'elle administre et la Parole qu'elle transmet, sainte par les efforts et les fruits de sainteté que suscite en elle l'Esprit, l'Eglise pérégrinante est *formée d'hommes régénérés au baptême, mais dont la liberté reste sujette au péché* et qui doivent constamment lutter pour vivre dans la fidélité au Christ : ils ont été justifiés, mais ils ne sont pas impecca-

---

46. Y. Congar, *Esquisses du Mystère de l'Eglise*, Paris, 2e éd. 1953, p. 8.

bles. Cette condition ne justifie en aucune manière l'acceptation par un chrétien de sa propre médiocrité, mais on doit
en tenir compte dans le regard qu'on porte sur l'Eglise : re-
gretter que les chrétiens ne soient pas tous des saints ou
que l'œuvre de l'Eglise dans le monde ne soit pas plus avancée après vingt siècles de Christianisme est légitime dans la
mesure où les omissions et les péchés personnels en sont la
cause, mais il y a une manière d'exprimer ce regret qui
équivaut à oublier la condition concrète où se déroule la
vie du chrétien et le fait que le combat spirituel recom-
mence avec chaque homme [47].

L'Eglise, en effet, n'est pas un simple héritage du passé,
elle est une *réalité actuelle, vivante, dynamique :* elle est
le corps du Christ actuellement vivant et en croissance,
Quiconque y entre par le baptême ne peut se contenter d'y
être passif : appartenant à ce corps qui « s'édifie dans la
charité [48] », au peuple de Dieu en marche vers la Nouvelle
Terre Promise [49], il est engagé dans cette édification et
cette marche et en est pour sa part responsable. Avec la
communauté fraternelle de ceux qui vivent dans le Christ,
il s'efforce de répondre dans la foi et la charité à l'appel
qu'il a reçu en vue de

la construction du Corps du Christ, au terme de laquelle nous
devons parvenir, tous ensemble, à ne faire plus qu'un dans la
foi et la connaissance du Fils de Dieu, et à constituer cet
Homme parfait, dans la force de l'âge, qui réalise la plénitude
du Christ [50].

L'orientation eschatologique de l'Eglise ne fait cependant
pas du chrétien un étranger dans la communauté des hommes. Si l'Eglise *n'est pas du monde* au sens johannique de

---

47. Sur la condition du chrétien justifié, voir Rom. 6.
48. Eph. 4, 16.
49. Evocation du caractère pérégrinant de l'Eglise en 1 Cor.
10, 1-11.
50. Eph. 4, 12-13.

ce mot (le monde dans son opposition à Dieu), elle *est* néanmoins *dans le monde* :

Ils ne sont pas du monde, de même que moi je ne suis pas du monde. Je ne demande pas que tu les retires du monde, mais que tu les préserves du mal [51].

Le Royaume du Christ n'est pas de ce monde, mais celui qui est d'Eglise ne peut pour autant se désintéresser de la communauté humaine : l'ordre de la Création tel qu'il a été voulu par Dieu, l'intention divine de restaurer toutes choses dans le Christ et la charité sur laquelle le chrétien sera jugé lui demandent de remplir sa tâche d'homme dans la fidélité à l'Evangile avec tout ce qu'elle comporte comme devoirs civiques, sociaux, familiaux. L'espérance de la cité céleste n'arrache pas le chrétien au monde où Dieu l'a placé ; plus un chrétien est digne de ce nom, plus il est utile à la communauté des hommes [52] : appliquer à l'Eglise le slogan : « la religion est l'opium du peuple », serait faire preuve d'une inintelligence totale de la charité et du christianisme.

ATTITUDE DU CHRETIEN DANS L'EGLISE

La première attitude du chrétien en présence du mystère de l'Eglise est *la foi*. Elle est le lieu où Dieu se montre fidèle à ses promesses de salut et où le Christ rassemble en lui

---

51. Jn. 17, 14-15 — trad. Osty.
52. Le sacrifice de certains engagements temporels dans les vocations sacerdotales ou contemplatives se justifie, même du simple point de vue de la communauté humaine, parce qu'elles lui apportent le témoignage vivant des réalités spirituelles, témoignage dont elle a besoin, non seulement pour aider ceux qui la composent à ne pas limiter leurs aspirations à la cité terrestre, mais aussi pour leur donner et donner à leurs engagements temporels un équilibre totalement humain.

toute l'humanité : devant le dessein de Dieu le chrétien n'a pas à choisir les moyens par lesquels Dieu opère le salut, mais à accepter librement d'entrer dans le plan que Dieu a choisi. Au lieu de se contenter d'une vue superficielle, voire inexacte, de l'Eglise, il essaie de la mieux connaître en se mettant à l'écoute de la Révélation et de l'enseignement de la hiérarchie. Il attache une grande importance à l'unité de la foi et s'efforce de comprendre l'Eglise de l'intérieur en vivant cette foi. A travers les directives et les ordres de ceux qui ont mission de la diriger, c'est au Christ qu'il obéit et il reprend à son compte la prière de Newman : « Puissé-je ne pas oublier un instant que Tu as établi sur la terre un royaume qui t'appartient, que l'Eglise est Ton œuvre..., que lorsque l'Eglise parle, c'est Toi qui parles... que l'infirmité de Tes représentants humains ne m'amène pas à oublier que c'est Toi qui parles et agis par eux [53]. »

Cette attitude de foi amène le chrétien à avoir le *sens de son appartenance à l'Eglise*. Conscient d'être membre de la communauté fraternelle, il ne se conduit pas en isolé, mais il a le sens de la solidarité de tous ses frères dans le Christ. Dans la liturgie, spécialement dans la célébration eucharistique, il sait vaincre l'individualisme et exprimer par ses gestes et ses attitudes la communion de tous au Christ et à son sacrifice. Se tenant au courant de la vie de l'Eglise dans le monde, il se sent responsable, pour sa part, de son message et de sa vie et cherche dans l'apostolat non un succès personnel, mais l'accomplissement d'une mission au service de l'édification du Corps du Christ. Devant les déficiences de tel ou tel de ses frères dans la foi, il ne juge pas l'Eglise de l'extérieur et en pharisien, mais il souffre avec elle :

« Tant que tu accepteras de te sentir atteint, personnelle-

---

53. Prière citée dans H. de Lubac, *Méditation sur l'Eglise*, p. 226, n. 81.

ment, par tout ce qui est de l'Eglise, fût-ce par une parole d'un de ses prêtres, c'est alors que tu lui feras confiance. Ce n'est pas la souffrance qui est à craindre, c'est le détachement. Ne se séparer jamais ! Souffrir par l'Eglise ce n'est rien, il faut souffrir dans l'Eglise [54]. » Le chrétien sait la fragilité de la condition humaine, et les fautes ou les échecs qu'il peut constater ne sont pas pour lui un scandale : ils sont un appel à plus de fidélité et à une charité plus fraternelle. La réaction d'un étudiant chinois, après la défection dans la foi d'une étudiante emprisonnée, est l'expression typique de cette solidarité catholique : « On nous a pris le cœur de notre sœur et nous souffrons, mais n'allez pas croire que nous sommes abattus. En priant le Christ du fond de notre cœur meurtri, nous avons découvert nos propres faiblesses. Après avoir résisté plus d'un an dans un isolement absolu, notre sœur est tombée. Dans cette lutte gigantesque contre les ténèbres qui voudraient nous recouvrir nous sommes tous solidaires : si l'un défaille c'est que les autres ne l'ont pas assez secouru. Nous n'avons pas assez prié, nous ne nous sommes pas assez sacrifiés. Dieu seul peut nous sauver et si nous allions nous attribuer le mérite de n'avoir pas succombé nous serions bien près de perdre cette grâce divine qui seule nous a soutenus [55]. »

L'acceptation dans la foi du plan de Dieu sur le monde, la conscience d'appartenir à l'Eglise et de vivre activement dans sa communion s'accompagnent normalement chez les chrétiens d'une humble *sécurité* dans le Christ, de *joie* dans l'accomplissement de la volonté divine et de *reconnaissance* envers le Père qui les a introduits dans le Royaume de son Fils [56].

---

54. P.A. Lesort, *Le vent souffle où il veut,* Paris 1954, p. 285.
55. Aidée par la prière et la charité de ses camarades, cette étudiante devait bientôt retrouver la foi.
56. Col. 1, 13.

LECTURES

Matthieu 16, 13-20 ; 28, 16-20.
Marc 3, 13-19.
Jean 15, 1-8 ; 16, 5-15 ; 17 ; 21, 15-17.
Actes 1, 4-8 ; 2, 1-47.
1 Corinthiens 12, 4-30.
Ephésiens 1, 19-4, 16 ; 5, 22-33.

CHAPITRE TREIZIÈME

PAIENS ET JUIFS EN FACE DU SALUT

LES PROBLEMES

Le salut des non-chrétiens a toujours préoccupé l'Eglise chargée par le Christ d'annoncer au monde l'Evangile. Ayant reconnu en Jésus l'unique Sauveur et mus par une authentique charité, les chrétiens se sont interrogés très tôt sur la destinée éternelle de leurs proches et de leurs amis restés dans le paganisme. Depuis le temps des Apôtres, des terres nouvelles on été découvertes mettant cette question au premier plan de la réflexion théologique, et l'on peut dire que les dimensions de ce problème ne sont jamais apparues avec autant d'ampleur qu'à notre époque où les progrès de la science montrent que l'apparition de l'homme sur la terre remonte à une date très ancienne par rapport à Abraham. La connaissance plus exacte de l'étendue et de l'histoire du monde ne modifie pas la nature de ce problème ; elle en fait, néanmoins, ressortir l'importance et le pose dans toute son acuité : *du point de vue du salut, quelle est la situation de ces milliards d'hommes qui ont vécu avant le Christ* ou qui, depuis sa venue, n'en ont jamais réellement entendu parler ?

Une autre question a tenu une grande place dans l'esprit des premiers convertis du judaïsme : celle du *salut des*

Juifs. Dans son ensemble, le peuple élu n'avait ni reconnu le Christ, ni adhéré à l'Eglise : c'était une souffrance très vive pour les Juifs qui avaient trouvé en Jésus le Messie promis à Israël, souffrance à la pensée de leurs parents demeurés dans le judaïsme, souffrance à cause de leur peuple resté hors de la voie du salut au moment où les Promesses se réalisaient. Dans l'épître aux Romains, saint Paul ne dissimule pas la peine qu'il ressent :

> Je dis la vérité dans le Christ, je ne mens point, — ma conscience m'en rend témoignage dans l'Esprit-Saint, — j'éprouve une grande tristesse et une douleur incessante en mon cœur. Car je souhaiterais d'être moi-même anathème, séparé du Christ, pour mes frères, ceux de ma race selon la chair [1].

Depuis le premier siècle, le problème du salut des Juifs n'a jamais été étranger à la pensée de l'Eglise. Plus fortement senti par les chrétiens qui vivent au contact des milieux religieux juifs, il est présent dans la prière de l'Eglise universelle. Aujourd'hui, l'existence d'un Etat d'Israël, sans changer les données religieuses du problème, aide psychologiquement à en prendre conscience et éveille l'attention des chrétiens du monde entier sur le salut des descendants d'Abraham.

Chacun de ces problèmes demanderait une étude longue et nuancée. Dans les pages qui vont suivre, on se bornera à indiquer quelques principes fondamentaux valables pour les deux et à esquisser quelques lignes générales pour la solution de l'un et de l'autre.

PRINCIPES FONDAMENTAUX

Au sujet des multitudes d'hommes qui se trouvent apparemment en dehors des exigences du salut, sans refus de leur part, le R.P. Liégé fait une remarque qu'il est utile de

---

1. Rom. 9, 1-3.

proposer avant toute explication : « La Parole de Dieu nous renseigne peu sur leur situation. Le magistère ne se prononce pas positivement, se contentant de garder dans leur intégrité les principes contenus dans la Révélation et refusant toute synthèse qui ne leur ferait pas droit. Il revient à la théologie de poursuivre cette synthèse fidèle à toutes les exigences de la Parole de Dieu... Les résultats demeureront toujours insatisfaisants, car qui connaît les voies de la miséricorde de Dieu ? Elle dépasse toute théologie [2]. »

Le mystère du salut, telle que Dieu le révèle dans la Bible, est un *dessein de salut universel réalisé par le Christ dans l'appartenance à son Corps, qui est l'Eglise.*

Depuis la création, le dynamisme de l'histoire biblique est orienté vers l'instauration universelle du règne de Dieu, vers la Jérusalem céleste dont la vision termine l'Apocalypse. Les traditions de la Genèse sur Abel et Noé, le message universaliste d'un ouvrage comme Jonas, l'histoire d'Israël avant le Christ montrent l'universalité, dans le temps comme dans l'espace, de la volonté salvifique de Dieu. Saint Paul l'exprime dans un passage de l'épître à Timothée :

Dieu notre Sauveur... veut que tous les hommes soient sauvés et parviennent à la connaissance de la Vérité [3].

Ceci montre que l'œuvre du salut déborde le cadre chronologique et géographique de la venue du Christ et de l'annonce de l'Evangile : la *volonté salvifique universelle* suppose que Dieu donne à chacun les moyens nécessaires au salut et que nul n'est condamné sans l'avoir réellement mérité.

La Bible affirme non moins nettement que le *Christ* est

---

2. P.A. Liégé, O.P., *Le salut des « autres »*, dans *Lumière et Vie*, n. 18, p. 14.
3. 1 Tim. 2, 3-4.

l'*unique Sauveur* : Il est le Sauveur du monde, et saint Paul déclare :

Dieu est unique, unique aussi le médiateur entre Dieu et les hommes, le Christ Jésus, homme lui-même, qui s'est livré en rançon pour tous [4].

Toute personne qui est sauvée, qu'elle connaisse ou non le Christ et à quelque moment de l'histoire qu'elle appartienne, l'est par une grâce du Christ accordée en raison de ses mérites à venir ou déjà acquis.

Il est clair aussi que, selon le plan divin, nul n'est sauvé sans appartenir d'une certaine manière à l'Eglise. Pour le montrer il ne suffit pas de mentionner la fondation de l'Eglise par le Christ, événement situé à un moment précis de l'histoire, il faut encore rappeler que, l'Eglise instituée par Jésus étant le « Corps du Christ », aucun homme ne reçoit la grâce sanctifiante et ne vit de la vie du Christ sans se rattacher d'une certaine manière à ce corps ; il faut enfin remarquer que, lorsque saint Paul, dans l'épître aux Ephésiens, considère l'achèvement du dessein de Dieu, l'Eglise qu'il contemple unie à son chef dans la gloire est composée de tous les sauvés. Ainsi *nul n'est sauvé sans une appartenance à l'Eglise.* Dans le cas des non-évangélisés cette appartenance pourra n'être qu'implicite : elle sera alors incluse dans la disposition générale de l'homme à s'orienter vers l'ordre et les moyens de salut choisis par Dieu et dans la relation de la grâce reçue au mystère du Christ et de l'Eglise.

Il ne faudrait pas en conclure que cette appartenance implicite soit la règle normale ou qu'elle puisse suffire dans tous les cas. La parole du Seigneur est formelle :

Proclamez l'Evangile à toute la création. Celui qui croira et sera baptisé sera sauvé, celui qui ne croira pas sera condamné [5].

---

4. 1 Tim. 2, 5.
5. Mc. **16**, 15-16.

Pour qui a vraiment *reçu la lumière de l'Evangile, l'appartenance explicite et visible au Christ et à l'Eglise est nécessaire pour être sauvé,* et, d'autre part, la volonté expresse du Seigneur est que l'Eglise s'efforce d'incorporer visiblement le plus d'hommes possible. Depuis la venue du Christ, le rattachement purement invisible à l'Eglise visible est une condition anormale de salut et ne peut suffire que pour ceux qu'une ignorance invincible retient éloignés de Lui et de l'Eglise qu'Il a fondée.

La Bible montre encore, sans doute possible, la nécessité de l'attitude religieuse *de foi pour être sauvé.* Il ne suffit pas d'avoir une connaissance rationnelle de Dieu, d'admettre d'un point de vue philosophique que Dieu existe : une attitude de foi est nécessaire :

Sans la foi il est impossible de plaire à Dieu [6].

Selon les cas, la formulation de la foi peut être plus ou moins explicite et sa réalisation concrète demeurer à l'état initial ou atteindre un degré plus parfait, mais la même disposition religieuse essentielle reste nécessaire pour que l'homme soit sauvé.

LE SALUT DES NON-EVANGELISES

Si l'on envisage la situation religieuse des hommes qui n'ont pas été atteints par la Révélation positive, on constate, en lisant la Bible, que *Dieu, à travers ses œuvres et ses bienfaits,* leur *fait connaître,* avec son existence et sa sagesse, *sa Providence* à leur égard :

Dans les générations passées, Dieu a laissé toutes les nations suivre leurs voies ; il n'a pas manqué pour autant de se rendre

---

6. Héb. 11, 6.

témoignage par ses bienfaits, vous dispensant du ciel pluies et saisons fertiles, rassasiant vos cœurs de nourriture et de félicité [7].

Ce témoignage de Dieu qui s'accompagne intérieurement de l'action de la grâce fait voir le monde sous un aspect qui n'est pas seulement celui de la raison : la révélation de Dieu par ses œuvres ne conduit pas simplement à une conclusion philosophique : Dieu existe ; elle manifeste le Dieu vivant qui veut le bien de l'homme et elle aboutit normalement à l'attitude religieuse que saint Paul, dans l'épître aux Romains, reproche aux païens de son temps de ne pas avoir adoptée :

Ce qu'on peut connaître de Dieu est pour eux manifeste: Dieu en effet le leur a manifesté. Ce qu'il a d'invisible depuis la création du monde se laisse voir à l'intelligence à travers ses œuvres, son éternelle puissance et sa divinité, en sorte qu'ils sont inexcusables; puisque ayant connu Dieu ils ne lui ont rendu comme à un Dieu ni gloire ni action de grâces... [8]

Correspondant à la révélation divine, l'*attitude salutaire* pour l'homme est *la foi,* l'adhésion religieuse au message que Dieu lui adresse à travers ses œuvres — cette attitude implique d'ailleurs la disposition à recevoir la Parole de Dieu si elle vient à être connue —. L'auteur de l'épître aux Hébreux en précise l'objet :

Celui qui s'approche de Dieu doit croire qu'il **existe** et qu'il se fait le rémunérateur de ceux qui le cherchent [9].

Dieu existe et prend soin du salut des hommes : « Pour tout homme et en quelque temps ou lieu qu'il vive, la foi en ces deux articles fondamentaux est absolument nécessaire

---

7. Act. 14, 16-17.
8. Rom. 1, 19-21.
9. Héb. 11, 6.

au salut [10]. » Est-ce à dire, cependant, que ces articles de foi, qui constitueraient une confession très insuffisante pour un chrétien, doivent nécessairement être professés d'une manière aussi explicite par tout homme situé en dehors de la Révélation positive ? Frappés par la condition religieuse du monde moderne, des théologiens se demandent si, pour des hommes éduqués et vivant en milieu complètement athée, la foi en ces deux articles ne pourrait pas, sans cesser d'être nécessaire, être formulée moins explicitement; ne se trouverait-elle pas, parfois, réalisée et contenue à l'état embryonnaire dans l'option de l'homme qui, soutenu par la grâce, décide de mener et mène sa vie dans le renoncement à l'égoïsme et dans la référence constante à des valeurs morales qui ont pour lui un caractère d'absolu et, pour ainsi dire, de sacré, en particulier dans un comportement authentiquement fraternel ; dans l'obéissance et la fidélité à ces valeurs morales, l'homme, sans en avoir une pleine conscience et sans s'apercevoir qu'il est conduit par l'Esprit-Saint, obéit et se montre fidèle à celui qui est l'Absolu, Dieu, et qui est le fondement et la fin de toute vie morale. Ainsi dans ce comportement volontaire et personnel de l'homme serait réalisé, initialement et vitalement, une certaine attitude de foi susceptible de devenir un jour plus explicite. A condition, d'une part de se rendre compte qu'il s'agit d'une attitude de haute élévation morale et de ne pas la confondre avec toute forme d'altruisme [11], d'autre part

---

10. P.-A. Liégé, *art, cit.*, pp. 20-21. On lira aussi, à ce propos, l'intéressant article du R.P. Congar, O.P., *Au sujet du salut des non-catholiques,* dans *Revue des Sciences Religieuses,* janvier 1958, pp. 53-65.

11. Comme l'a noté le R.P. Daniélou, « nous sommes en présence, aujourd'hui, d'un altruisme qui n'est pas chrétien et même d'un altruisme qui, dans certains cas, est anti-chrétien. Bien sûr, dans bien des cas, l'altruisme peut être très chrétien, et, dans bien des cas, il peut être un esprit évangélique qui

de garder à cette opinion son caractère de recherche et de l'assortir des précisions et nuances dont l'accompagnent les théologiens [12], cette explication semble ouvrir une voie intéressante à la réflexion théologique et sainement optimiste en ce qui concerne le salut des non-évangélisés.

La foi du non-évangélisé *se traduit* le plus souvent *dans la religion* qu'il pratique et qui se rattache à l'ensemble des *religions non-révélées :* celles-ci, après avoir été jusqu'au Christ et en dehors d'Israël, la voie normale où s'exprimait la démarche religieuse, ne jouent plus qu'un rôle de suppléance en attendant l'évangélisation de fait. Malgré les tâtonnements et les imperfections qui marquent, quelquefois gravement, leurs formes concrètes, ces religions, par l'élément de vérité qu'elles expriment et le soutien social qu'elles représentent, sont souvent une aide pour la vie de foi.

La foi du non-évangélisé *n'est pas sans répercussion sur sa vie :* elle est la reconnaissance religieuse de Dieu et de sa

---

s'ignore. Mais il peut être parfaitement et consciemment antichrétien, être l'expression suprême de la prétention de l'homme d'aujourd'hui à se passer de Dieu, même pour faire le bien » (*L'esprit des Béatitudes dans la vie d'un militant ouvrier,* dans *Masses Ouvrières,* nov. 1955, p. 41). Il est évident qu'un altruisme qui traduirait effectivement la prétention de l'homme à se passer de Dieu n'aurait rien de commun avec une attitude de foi.

12. Voir un exposé de cette question par le R.P. Liégé, *art. cit.,* pp. 23-28, ou *Initiation Théologique,* t. 4, pp. 372-375 et t. 3, pp. 506-509. On lira aussi avec intérêt J. Mouroux, *Je crois en toi,* 2e éd. Paris 1948, pp. 75-82. A la p. 81, n. 1, l'auteur cite M. Maritain : « Sous des noms quelconques, qui ne sont pas celui de Dieu, il se peut (nul ne le sait que Dieu même) que l'acte intérieur de pensée produit par une âme porte sur une réalité qui, de fait, soit vraiment Dieu. Car, du fait de notre infirmité spirituelle, il peut y avoir discordance entre ce que nous croyons en réalité et les idées par lesquelles nous exprimons à nous-mêmes ce que nous croyons, et prenons conscience de notre croyance. » — L'analyse de la première option morale de l'homme, faite par saint Thomas (Ia-IIae, q. 89, a. 6), aide à mieux comprendre le problème que l'on vient seulement d'évoquer.

Providence salvifique, accompagnée de confiance et du propos de réaliser ce que l'homme croit être la volonté divine. La sincérité de cette attitude de foi se traduit dans la fidélité à cette volonté que l'homme connaît, en définitive, par la loi naturelle inscrite en son cœur :

Quand des païens privés de la Loi accomplissent naturellement les prescriptions de la Loi, ces hommes, sans posséder de loi, se tiennent à eux-mêmes lieu de loi ; ils montrent la réalité de cette Loi inscrite en leur cœur, à preuve le témoignage de leur conscience, ainsi que les jugements intérieurs de blâme ou d'éloge qu'ils portent les uns sur les autres... [13]

Telle est la condition religieuse du non-évangélisé, qu'il ait vécu avant le Christ ou que des obstacles involontaires de sa part n'aient pas permis son évangélisation. Cette condition, on le voit, n'est pas désespérée, mais elle est précaire et nettement moins favorable au salut que la foi expresse au Christ et l'appartenance visible à l'Eglise au sein de laquelle l'homme trouverait, en même temps qu'une plus grande sécurité, la plénitude de la lumière révélée, l'abondance de la vie sacramentelle, le soutien de la communauté ecclésiale, l'aide de la hiérarchie dans la vie de foi, la recherche du bien et la mise en œuvre de la charité. En outre, si le non-évangélisé reçoit le salut, ce n'est pas en dehors du Christ et sans référence à l'Eglise : c'est la grâce du Christ qui le sauve et agit en lui et c'est vers Lui et son mystère qu'il s'oriente, sans le savoir, par la disposition générale où il se trouve d'accomplir la volonté divine et donc d'entrer dans le plan du salut tel qu'il a été conçu par Dieu.

LE SALUT DES JUIFS

Avant la venue du Christ

Le problème du salut des Juifs tel qu'il a été présenté plus

_____

13. Rom. 2, 14-15.

haut appartient au Nouveau Testament, mais il n'est pas inutile de rappeler quelle était la condition des Juifs par rapport au salut sous l'Ancienne Alliance. Sans placer les païens dans une situation inférieure à celle où ils se trouvaient précédemment, le choix d'Israël met les Juifs dans une *situation plus favorable par rapport au salut en raison de la Révélation, de la Loi et des institutions religieuses* que Dieu accorde à son peuple. Sans cesser de se manifester à travers ses œuvres, Dieu se révèle aux Juifs d'une manière particulière et de plus en plus précise. La réponse de l'Israélite à cette révélation est la foi en Yahweh, et celle-ci est plus explicite et plus éclairée que la foi des païens. La religion où elle s'exprime est celle que Dieu a choisie en donnant à son peuple des institutions cultuelles. Enfin la foi de l'Israélite se traduit dans la vie par l'observation de la Loi reçue au Sinaï. Tel est le cadre où se réalise le salut des Juifs sous l'Ancien Testament, *cadre normal pour eux jusqu'à ce que le Christ vienne* donner à la Loi son accomplissement dans l'Evangile.

Toutefois l'institution religieuse israélite n'est pas par elle-même source de salut : l'Israélite qui reçoit le salut est *sauvé en référence au Christ et par Lui.* Sa foi est orientée vers Lui car il croit au Dieu dont la Promesse se réalisera en Jésus et qui a choisi Israël comme son peuple particulier à cause du Christ à venir ; les Ecritures où il trouve la Parole de Yahweh sont sous-tendues par l'espérance messianique; les institutions cultuelles où il vit sa foi sont dirigées vers le sacrifice parfait et définitif du Christ, et la Loi elle-même est un pédagogue qui conduit vers Lui [14]. Bien plus, la grâce qui justifie l'Israélite et lui donne la force d'être fidèle à accomplir les prescriptions de la Loi, lui est accordée en raison des mérites du Christ à venir.

---

14. Gal. **3**, 24.

Après la venue du Christ

> Il est venu chez lui
> et les siens ne l'ont pas reçu [15].

Israël, le peuple choisi, n'a pas reçu le Christ et n'est pas entré dans l'Eglise : il se trouve, comme peuple, hors de la voie du salut. A vrai dire, l'incrédulité d'Israël ne pose pas de problème particulièrement difficile à la réflexion théologique si l'on s'en tient au plan des personnes. D'une part, en effet, le Juif qui refuse d'une manière coupable de croire en l'Evangile se met dans la même situation que celui qui, en ayant reçu l'annonce, le rejette sciemment. D'autre part, si le non-évangélisé peut être sauvé avec une foi au Christ seulement implicite, à plus forte raison le Juif qui estime en son âme et conscience devoir suivre sa religion peut-il être sauvé avec une foi orientée vers le Christ que, par suite d'une ignorance involontaire, il ne parvient pas à reconnaître : bien que, depuis la promulgation de l'Evangile, cette religion ne soit plus la voie normale pour aller à Dieu, elle est plus parfaite que celle du païen qui vit en dehors de toute révélation positive, et la foi de l'Israélite est plus expressément en référence au Christ, espérance d'Israël, que celle du païen.

En réalité, l'incrédulité d'Israël ne fait difficulté que si l'on envisage le rôle historique du peuple dans le dessein de Dieu. C'est le point de vue auquel se place saint Paul dans les chapitres IX-XI de l'épître aux Romains, et il ne faut pas l'oublier si l'on ne veut pas poser de faux problèmes en les lisant. On retrouve dans ces pages l'écho de discussions que l'apôtre dut soutenir à ce sujet dans les milieux juifs et judéo-chrétiens. Examinant tour à tour le point de vue de Dieu et celui d'Israël, il commence par mon-

---

15. Jn. 1, 11.

trer que l'incrédulité du peuple élu, qui est coupable [16], ne met pas en cause la fidélité divine et n'autorise pas à accuser Dieu d'injustice. Puis, s'élevant à une vue d'ensemble du plan divin, saint Paul affirme que *Dieu n'a pas rejeté son peuple* et que, selon une loi de l'action divine dans l'Ancien Testament, aujourd'hui encore *il y a en Israël un Reste fidèle* qui a eu accès à l'Evangile :

Je demande donc : Dieu aurait-il rejeté son peuple ? Certes non ! Ne suis-je pas moi-même israélite, de la race d'Abraham, de la tribu de Benjamin ? Dieu n'a pas rejeté le peuple que d'avance il a discerné. Ou bien ignorez-vous ce que dit l'Ecriture à propos d'Elie, quand il s'entretient avec Dieu... « Je me suis réservé sept mille hommes qui n'ont pas fléchi le genou devant Baal. » Ainsi pareillement aujourd'hui il subsiste un reste, élu par grâce [17].

De plus, *l'incrédulité* d'Israël *a été permise pour que les païens aient* plus facilement *accès à l'Evangile :*

Leur faux-pas a procuré le salut aux païens... leur faux-pas a fait la richesse du monde et leur amoindrissement la richesse des païens... [18]

De fait, la première persécution a évité à la première communauté tout risque de repliement et hâté la proclamation de l'Evangile hors de Jérusalem et de Palestine [19] ; c'est le refus des Juifs qui amenait saint Paul à annoncer la Parole aux païens dans les villes qu'il évangélisait [20]; c'est la présence de nombreux convertis du paganisme dans l'Eglise primitive qui a conduit celle-ci à se dégager plus rapidement de prescriptions juives désormais inutiles ; enfin, sur le plan psychologique, l'entrée en masse des Juifs

---

16. Rom. 10, 14-21.
17. Rom. 11, 1-5.
18. Rom. 11, 11-12.
19. Act. 8, 1-4 ; 11, 19-21 et la suite du livre des Actes.
20. Act. 13, 46 ; 18, 6-7 ; 19, 9.

dans l'Eglise aurait pu être un obstacle à la conversion de
certains païens qui auraient risqué de prendre le christianisme pour une secte juive, lié à une nation particulière.

L'incrédulité d'Israël n'est pas définitive. Saint Paul annonce solennellement qu'*Israël se convertira pour le plus
grand profit spirituel* de tous lorsque l'ensemble du monde
païen sera entré dans l'Eglise :

> Je ne veux pas, frères, vous laisser ignorer ce mystère, de
> peur que vous ne vous complaisiez en votre sagesse : une par-
> tie d'Israël s'est endurcie jusqu'à ce que soit entrée la totalité
> des païens, et ainsi tout Israël sera sauvé...
> Si leur mise à l'écart fut une réconciliation pour le monde,
> que sera leur admission, sinon une résurrection d'entre les
> morts [21] ?

Que veut dire exactement saint Paul en affirmant que la
totalité des païens entrera dans l'Eglise ou que tout Israël
sera sauvé ? Comment et quand se produiront ces événements religieux ? Autant de questions auxquelles on ne
peut répondre avec précision. « Pour interpréter toute cette
doctrine en termes modernes, songeons que saint Paul pro-
jette sur une toile de fond... toute l'histoire qui se déroulera
depuis la venue de Notre-Seigneur. La conversion d'Israël
n'est donc pas nécessairement une pure volte-face précé-
dant immédiatement la Parousie. La prophétie peut se réaliser par des retours successifs à l'Eglise chrétienne, qui sera
toujours l'Israël spirituel. Ne raisonnons pas trop non plus
sur les quantités réelles impliquées par les notions de masse,
de plénitude, de totalité. Saint Paul juge autrement que
nous de ces questions de nombre. Dieu sauvera tout Israël
en principe. C'est à Lui de décider ce que sera le nombre de
ceux qui, visiblement, se rattacheront à l'Eglise au cours
des siècles [22] ».

---

21. Rom. 11, 25-26 et 11, 15.
22. Mgr Cerfaux, *Une lecture de l'épître aux Romains*, Paris
1947, p. 105.

La vue du plan divin, où l'infidélité d'Israël, après avoir permis l'entrée des nations dans l'Eglise, s'achève en une conversion qui sera pour celle-ci un immense bienfait surnaturel, provoque chez saint Paul un sentiment d'admiration contemplatif devant la sagesse miséricordieuse de Dieu :

O abîme de la richesse, de la sagesse et de la science de Dieu ! Que ses décrets sont insondables et ses voies incompréhensibles ! Qui en effet a jamais connu la pensée du Seigneur ? Qui en fut jamais le conseiller ? Ou bien qui l'a prévenu de ses dons pour devoir être payé de retour ? Car tout est de Lui et par Lui et pour Lui. A Lui soit la gloire éternellement ! Amen [23].

ATTITUDES CHRETIENNES

A L'ÉGARD DES JUIFS

Avant de traiter le problème de l'incrédulité d'Israël, saint Paul énumère avec complaisance les privilèges religieux du peuple choisi

de qui le Christ est issu selon la chair [24],

et, après avoir indiqué que l'incrédulité d'Israël a été permise pour la conversion des païens, il invite à l'humilité les chrétiens venus du paganisme :

Si quelques-unes des branches ont été coupées tandis que toi, sauvageon d'olivier, tu as été greffé parmi elles pour bénéficier avec elles de la sève de l'olivier, ne va pas te glorifier aux dépens des branches [25].

L'attitude du chrétien vis-à-vis des Juifs qui n'ont pas embrassé le christianisme *ne saurait être en aucune manière faite de mépris :* il respecte en eux ceux dont les ancêtres ont constitué le peuple de la promesse et il sait trop quelle

---

23. Rom. 11, 33-36.
24. Rom. 9, 4-5.
25. Rom. 11, 17-18.

grâce Dieu lui a faite de rencontrer le Christ pour en tirer orgueil devant ceux qui le cherchent encore. Sachant que tous les hommes ont été rachetés par le Christ et que tous sont appelés au salut, il *veille à ne pas se tromper lui-même en déguisant sous des prétextes religieux un racisme qu'il n'oserait s'avouer* et adopte *à l'égard de tous*, « Juifs et Grecs », *un même comportement fraternel de charité.* Connaissant le dessein de Dieu sur Israël, il *souhaite* sincèrement son entrée dans l'Eglise et *contribue,* autant qu'il dépend de lui, *à en préparer la réalisation :*

Frères, certes l'élan de mon cœur et ma prière à Dieu pour eux, c'est qu'ils soient sauvés [26].

A L'ÉGARD DES NON-ÉVANGÉLISÉS

Envers les païens, le chrétien *se garde d'adopter une attitude trop fermée,* car il sait que Jésus-Christ est mort pour tous les hommes, que l'action de sa grâce dépasse le cercle des baptisés [27] et que ceux qui n'appartiennent pas à l'Eglise d'une manière visible peuvent se trouver ordonnés au Corps Mystique du Rédempteur « par un certain désir et un souhait inconscient [28] ». Il s'abstient d'une apologétique mal comprise qui l'amènerait à déprécier de réelles valeurs des religions non-chrétiennes pour montrer la grandeur du christianisme [29].

Mais cette ouverture d'esprit *ne le conduit pas à une sorte d'indifférence en matière de religion.* Il croit que la Vérité reçue du Christ constitue un bien irremplaçable,

---

26. Rom. **10,** 1.
27. Le pape Alexandre VIII a condamné la proposition suivante : « Les païens, les juifs, les hérétiques et autres hommes semblables, ne reçoivent en aucune façon la moindre influence de Jésus-Christ » — voir *Lumière et Vie,* n. 18, p. 49.
28. Encyclique *Mystici Corporis Christi,* p. 57, éd. de la Bonne Presse.
29. J. Daniélou, *Essai sur le mystère de l'histoire,* p. 106.

inaccessible hors de la Révélation, et qu'elle est destinée à tous les hommes. Rien ne peut lui faire oublier que, sauf circonstances exceptionnelles, l'appartenance au Christ et à l'Eglise par la foi et le baptême est, depuis la promulgation de l'Evangile, nécessaire au salut et que celui qui, connaissant la pensée de Dieu sur l'Eglise, refuserait d'y entrer refuserait en même temps le salut. Il sait que, même pour les non-évangélisés, toutes les autres voies demeurent imparfaites et précaires et il s'associe à la parole du Souverain Pontife les invitant « à céder librement et de bon cœur aux impulsions intimes de la grâce divine et à s'efforcer de sortir d'un état où nul ne peut être sûr de son salut éternel ; car, même si par un certain désir et souhait inconscient ils se trouvent ordonnés au Corps Mystique du Rédempteur, ils sont privés de tant et de si grands secours et faveurs célestes, dont on ne peut jouir que dans l'Eglise catholique [30] ».

Appartenant à cette Eglise qui, par la volonté de son chef, est essentiellement missionnaire et sachant que les hommes ne peuvent trouver que dans sa communion visible la plénitude des conditions de salut, le chrétien, *devant* la déchristianisation de certains pays et *l'existence d'une multitude de païens, prend une conscience plus vive de son devoir missionnaire* et de l'impossibilité d'une vie chrétienne sans dimension apostolique. En face du monde qui ignore le Christ, il se rend mieux compte de la part qu'il doit prendre pour y assurer la présence de l'Eglise et l'annonce de l'Evangile.

---

30. Encyclique *Mystici Corporis Christi,* p. 57.

LECTURES

Sagesse 13, 1-9.
Actes 14, 15-17 ; 17, 22-28.
Romains 1, 18-21 ; 2, 12-16 ; 9, 1-11, 36.
Hébreux 11.

CHAPITRE QUATORZIÈME

LE RETOUR DU CHRIST

LA FOI AU RETOUR DU CHRIST

Dès le début de l'Eglise, la foi des chrétiens a été orientée vers le second avènement du Christ : fondée sur les paroles du Sauveur, elle s'affirme tout au long du Nouveau Testament, depuis le récit de l'Ascension jusqu'à l'Apocalypse. Au cours de son ministère, Jésus avait parlé, à diverses reprises, de son retour [1], en particulier dans le discours eschatologique :

En ces jours-là,... le soleil s'obscurcira, la lune perdra son éclat, les étoiles se mettront à tomber du ciel et les puissances qui sont dans les cieux seront ébranlées. Et alors on verra le Fils de l'Homme venir dans les nuées avec grande puissance et gloire. Et alors il enverra les anges pour rassembler ses élus, des quatre vents, de l'extrémité de la terre à l'extrémité du ciel [2].

L'avertissement donné aux apôtres après l'Ascension se situe dans la même perspective :

Hommes de Galilée, pourquoi restez-vous ainsi à regarder le ciel? Celui qui vous a été enlevé, ce même Jésus, viendra comme

---

1. Lc. 18, 8.
2. Mc. 13, 24-27.

cela, de la même manière dont vous l'avez vu partir vers le ciel [3].

La pensée du retour du Seigneur réapparaît à chaque instant dans les lettres de saint Paul, et l'auteur de l'épître aux Hébreux ne fait qu'exprimer la foi commune en écrivant :

Le Christ, après s'être offert une seule fois pour enlever les péchés d'un grand nombre, apparaîtra une seconde fois — hors du péché — à ceux qui l'attendent pour leur donner le salut [4].

L'Apocalypse elle-même, tout entière soulevée par l'espérance du retour de Jésus, se termine par le souhait liturgique en usage dans les premières communautés :

Viens, Seigneur Jésus [5] !

La foi au retour du Christ et l'espérance de son avènement *n'ont jamais cessé d'animer l'Eglise,* et l'on pourrait composer des volumes avec les textes des Pères consacrés à la venue en gloire du Seigneur à la fin des temps : qu'il suffise de citer le passage du *Credo* qui, depuis les premiers siècles, exprime la foi des chrétiens en « Jésus, le Christ, Fils unique de Dieu... qui reviendra dans sa gloire juger les vivants et les morts ».

Au sujet du retour du Christ, de nombreuses questions peuvent se poser : quand aura-t-il lieu ? De quelle manière se dérouleront les événements de la fin du monde ? Que deviendra l'univers actuel ? Quelle est l'importance du second avènement du Seigneur par rapport au mystère du salut ? De tous ces problèmes, le dernier est, de beaucoup, le plus fondamental. Il arrive, malheureusement, que des questions relativement secondaires comme la date de la Parousie ou son mode de réalisation retiennent toute l'attention au détriment de la question essentielle. La Révélation,

---

3. Act. 1, 11.
4. Héb. 9, 28.
5. Ap. 22, 20.

comme on le verra plus bas, n'encourage guère la curiosité ;
en revanche elle donne réponse aux questions qui intéressent directement le croyant.

VOCABULAIRE ET STYLE

Avant d'examiner cette réponse, il est utile de préciser le
sens de certaines expressions concernant la fin des temps
et de donner quelques indications à propos des descriptions
qui en sont faites dans le Nouveau Testament.

Pour désigner la doctrine se rapportant à la fin des réalités actuelles, l'homme, le monde, on emploie souvent le
mot *eschatologie,* qui vient de deux termes grecs : *eschatos,*
dernier, et *logos,* doctrine. C'est ainsi que l'on parle de
l'eschatologie des prophètes à propos de leurs oracles sur le
Messie et la fin des temps qu'Il inaugure, du caractère eschatologique de la vie chrétienne parce qu'elle est déjà la
vie éternelle commencée, ou tout simplement d'eschatologie au sujet du retour du Christ, de la résurrection générale, du jugement, du monde nouveau.

Un autre mot grec sert à désigner la venue glorieuse du
Christ à la fin des temps : le mot *Parousie,* transcription
de *parousia* qui signifie présence, venue, arrivée. Dans
l'épître aux Corinthiens, par exemple, saint Paul parle de

ceux qui seront au Christ, lors de son Avènement (*parousia*) [6].

Dans la même épître, l'apôtre utilise encore l'expression
« *le Jour de notre Seigneur Jésus-Christ* » : cette fois, la
formule est transposée de l'Ancien Testament, où « le Jour
de Yahweh » est celui de l'intervention et du jugement
divins [7], et elle désigne le retour du Christ, souverain Juge,

---

6. 1 Cor. 15, 23.
7. Am. 5, 18 ; Joël 1, 15 ; 2, 1-2.

à la fin du monde. C'est pourquoi saint Paul exhorte les Corinthiens à se conduire de manière à être

irréprochables au Jour de Notre-Seigneur Jésus-Christ [8].

On retrouve également chez saint Paul la distinction du judaïsme entre *le siècle présent,* ou ce siècle, et *le siècle futur,* ou siècle qui vient. « Le siècle présent » est le temps actuel considéré sous l'aspect péjoratif dans sa liaison avec le péché originel qui l'a qualifié en soumettant à la puissance du mal l'histoire qui le remplit. « Le siècle futur », au contraire, est le temps à venir caractérisé par la victoire de Dieu sur les puissances mauvaises et par la paix et la joie qui l'accompagnent [9]. A la différence de la conception juive, selon laquelle les deux siècles se succédaient, la représentation paulinienne comporte entre la venue du Christ et son retour une période où les deux siècles se compénètrent : on vit encore dans le siècle présent, mais déjà la victoire est acquise dans le Christ qui ne cesse de sanctifier le monde par l'Esprit-Saint ; toutefois, les effets de cette victoire ne se feront sentir en plénitude que dans le monde futur [10].

Avec le mot *apocalypse* on revient à l'étymologie grecque : ce terme signifie « révélation » et est devenu comme le nom propre de l'ouvrage écrit par Jean à Patmos [11]. Il ne faut pourtant pas oublier qu'il existe dans la Bible et les écrits juifs, spécialement aux environs de l'ère chrétienne, un certain nombre d'apocalypses [12] et qu'elles se rattachent à un genre littéraire bien déterminé : leurs auteurs se proposent de transmettre une révélation concer-

---

8. 1 Cor. 1, 8.
9. Voir Oscar Cullmann, *Christ et le temps,* Neuchâtel, 1947, p. 33.
10. L'emploi de cette distinction se rencontre, par exemple, en 1 Cor. 2, 6 où l'apôtre parle de la « sagesse de ce siècle » et des « princes de ce siècle ».

nant l'avenir et emploient à cet effet des symboles et des images qui traduisent le message reçu et qui ne doivent pas être interprétés au pied de la lettre, mais selon leur valeur symbolique. Il faut en tenir compte dans la lecture des visions de l'Apocalypse.

En se plaçant à un plan plus général, il est d'ailleurs intéressant de remarquer à quelles sources le Christ ou les auteurs du Nouveau Testament empruntent certaines images dans la *description* qu'ils donnent *des événements eschatologiques :* cela peut aider à apprécier la valeur exacte de celles-ci et leur importance au point de vue enseignement. Pour annoncer la manifestation divine la plus importante, celle de la fin des temps, les auteurs du Nouveau Testament réutilisent certains détails des théophanies de l'Ancien Testament. On lit sous la plume de saint Paul qu'au moment du second avènement du Christ

tous nous serons transformés. En un instant, en un clin d'œil, au son de la trompette finale, car elle sonnera la trompette, et les morts ressusciteront incorruptibles [13].

Or « cette trompette fait partie de l'arsenal apocalyptique traditionnel dans le Judaïsme ; elle reporte dans l'eschatologie une donnée qui se trouvait en bonne place dans la description de la venue de Dieu sur le Sinaï [14] » : on se rappelle, en effet, que le récit de l'Exode mentionnait un son de trompe très fort, qui n'était autre que le mugissement du vent violent qui accompagnait la manifestation de Yahweh [15]. Dans la description de saint Paul, cette trompette n'est évidemment qu'une image, mais cette image a un sens : elle indique que la Résurrection se produira au

---

11. Ap. 1, 9-10.
12. Ez. 38-39 ; Dan. 7-12 ; Zach. 9-14 ; IV Esdras.
13. 1 Cor. 15, 51-52.
14. Dom Jacques Dupont, O.S.B., *L'union avec le Christ suivant saint Paul*, Louvain, 1952, pp. 68-69.

moment voulu par Dieu et sera une manifestation éclatante de sa puissance.

Les auteurs du Nouveau Testament et Jésus lui-même reprennent certaines images que l'on trouve dans les passages apocalyptiques des prophètes : on rencontre chez ces derniers l'emploi d'images stéréotypées dans la description des cataclysmes cosmiques qui orchestrent les grandes interventions de la puissance divine : le soleil s'obscurcit, la lune se change en sang, les étoiles tombent du ciel, la terre frémit, les cieux tremblent [16]. Sans aborder encore la question de savoir si l'ensemble de ces images annonce un bouleversement cosmique, on peut dire que leur caractère stéréotypé indique que, dans les détails, elles ne sont pas à interpréter strictement.

LA PAROUSIE

La Parousie est un événement d'une telle richesse qu'on ne peut la définir en quelques mots et qu'il est nécessaire d'en décrire successivement les différents aspects. Elle est essentiellement *l'avènement glorieux et définitif du Seigneur Jésus à la fin des temps,* le retour que l'Eglise attend dans la foi depuis l'Ascension. Ce fait, d'une importance capitale, intéresse l'humanité tout entière et l'univers lui-même.

La Parousie marquera *la fin du monde actuel et l'avènement d'un monde nouveau.* Dans l'Evangile, Jésus ne craint pas d'affirmer :

Le ciel et la terre passeront, mais mes paroles ne passeront point [17].

---

15. Ex. 19, 16-19.
16. Is. 13, 9-10 ; Ez. 32, 7-8 ; Joël 2, 10-11 ; 3, 1-5.
17. Mc. 13, 31.

De son côté, le « voyant » de l'Apocalypse écrit :

Je vis un ciel nouveau, une terre nouvelle — le premier ciel, en effet, et la première terre ont disparu, et, de mer, il n'y en a plus [18].

On pourrait ajouter d'autres textes annonçant la fin du monde, mais il est plus important de s'interroger sur leur signification exacte : ont-ils un sens purement symbolique destiné à souligner la grandeur de l'intervention divine au moment du retour du Seigneur ou ont-ils un sens réaliste impliquant une transformation de l'univers créé ? Dans son ensemble, l'interprétation traditionnelle ne s'est pas contentée d'une exégèse purement symboliste et s'en est tenue à un sens réaliste : il faut donc retenir que, *sous un certain aspect et d'une certaine manière, le monde actuel finira un jour pour faire place au monde futur.* Une fois posé ce principe, il n'est guère possible de préciser le mode ou la nature de ce passage du monde actuel au monde futur. L'auteur de la seconde épître de Pierre le présente comme une rupture complète entre le monde actuel et le monde nouveau, le premier disparaissant « dans une sorte d'embrasement catastrophique [19] » :

Il viendra, le Jour du Seigneur, comme un voleur; en ce jour, les cieux se dissiperont avec fracas, les éléments embrasés se dissoudront, la terre avec les œuvres qu'elle renferme sera consumée [20].

Mais ici encore on peut se demander quelle part de symbole et de réalité recouvre cette description, étant donné que dans la tradition juive le feu purificateur était un instrument du jugement divin et que le thème de la destruc-

---

18. Ap. 21, 1.
19. M.-E. Boismard, O.P., *Le retour du Christ,* dans *Lumière et Vie,* n. 11, p. 63.
20. 2 Petr. 3, 10.

tion du monde par le feu était alors courant dans la philosophie gréco-romaine [21].

Toute différente est la présentation paulinienne, d'après laquelle le monde futur n'est autre que le monde actuel merveilleusement transformé et renouvelé sous l'effet de la gloire divine : pour saint Paul, le « retour du Christ s'accomplit dans une perspective terrestre, et non vers un « ciel » d'une localisation indéterminée [22] », la création ne disparaît pas pour faire place à un autre monde, mais elle est purifiée, affranchie de l'esclavage de la vanité, et ceci laisse deviner que l'Apôtre, par ailleurs si discret sur le thème des cieux nouveaux et de la terre nouvelle, « ne prévoyait pas une destruction et une création nouvelle de l'univers [23] ». Cette conception se rattache chez saint Paul au thème du Christ nouvel Adam, dont la primauté s'étend à l'univers entier et non à la seule humanité. Le retour du Seigneur aura un retentissement cosmique et marquera pour le monde un « renouvellement » sous l'effet de la gloire divine.

La Parousie est surtout l'*heure de la résurrection générale pour la vie ou la condamnation :*

> L'heure vient
> où tous ceux qui gisent dans la tombe
> en sortiront à l'appel de la voix du Fils de l'Homme ;
> ceux qui auront fait le bien
> ressusciteront pour la vie,
> ceux qui auront fait le mal,
> pour la damnation [24].

Ce sera en effet *le jugement de tous les hommes par le Christ :*

---

21. R.P. Boismard, *id.*, et *Bible de Jérusalem, in hoc.*
22. R.P. Boismard, *id.*, p. 64.
23. J. Bonsirven, *L'évangile de Paul*, Paris 1948, p. 332.
24. Jn. 5, 28-29.

Quand le Fils de l'homme viendra dans sa gloire, escorté de tous les anges, alors il prendra place sur son trône de gloire. Devant lui seront rassemblées toutes les nations, et il séparera les gens les uns des autres, tout comme le berger sépare les brebis des boucs [25].

Dans l'annonce du jugement dernier, Jésus insiste sur l'importance de la charité fraternelle :

Venez les bénis de mon Père... Car j'ai eu faim et vous m'avez donné à manger,... j'étais étranger et vous m'avez accueilli...
Allez loin de moi, maudits, dans le feu éternel qui a été préparé pour le Diable et ses anges. Car j'ai eu faim et vous ne m'avez pas donné à manger, j'ai eu soif et vous ne m'avez pas donné à boire, j'étais un étranger et vous ne m'avez pas accueilli... [26]

Ecrivant à Timothée, saint Paul lui rappelle, dans la perspective du jugement, l'importance de la foi :

Je t'adjure devant Dieu et devant le Christ Jésus, qui doit juger les vivants et les morts, au nom de son apparition et de son règne : proclame la Parole...
Voici que moi, je suis déjà répandu en libation et le moment de mon départ est venu. J'ai combattu jusqu'au bout le bon combat, j'ai achevé ma course, j'ai gardé la foi. Et maintenant, voici qu'est préparée pour moi la couronne de justice, qu'en retour le Seigneur me donnera en ce Jour-là, lui, le juste Juge, et non seulement à moi mais à tous ceux qui auront attendu avec amour son apparition [27].

Foi, espérance, charité : telles sont les vertus qui résument et contiennent toutes les autres et que le chrétien doit vivre dans l'attente du Seigneur pour être avec lui dans le Royaume.
Après le jugement, le *Christ remettra le Royaume à son Père* :

---

25. Mt. **25**, 31-32.
26. Mt. **25**, 34-35 et 41-43.
27. 2 Tim. **4**, 1-2, 6-8.

Tous revivront dans le Christ. Mais chacun à son rang : en tête le Christ, comme prémices, ensuite ceux qui seront au Christ, lors de son avènement. Puis ce sera la fin, quand il remettra la royauté à Dieu, le Père, après avoir détruit toute Principauté, Domination et Puissance [28].

Ainsi s'achèvera le dessein du salut.

LA PAROUSIE ACHEVEMENT DE L'HISTOIRE DU SALUT

La Parousie, qui est à l'horizon du siècle présent, marquera en effet l'achèvement de l'histoire du salut.

Elle en est l'*achèvement :* plus qu'un point final ou une simple conclusion, elle est la consécration définitive et parfaite de cette histoire :

Nous serons avec le Seigneur pour toujours [29].

Elle est l'*achèvement de l'histoire du salut.* Au chapitre troisième de la Genèse, l'auteur bliblique décrivait à l'aide de symboles le premier péché et ses conséquences : la rupture de l'homme avec Dieu, figurée par l'expulsion du jardin d'Eden, l'inclination au mal, la mort, la souffrance et comme une dissonance entre l'homme et la création matérielle :

Le sol produira pour toi épines et chardons
et tu mangeras l'herbe des champs [30].

Lors de la Parousie, les élus seront pour toujours séparés du domaine du péché ; ils recouvreront en sa totalité l'amitié de Dieu qui sera « tout en tous [31] » et établira sa de-

---

28. 1 Cor. 15, 22-24.
29. 1 Thess. 4, 17.
30. Gen. 3, 18.
31. 1 Cor. 15, 28.

meure parmi les hommes [32] ; la résurrection de leurs corps devenus incorruptibles par l'action vivificatrice de l'Esprit-Saint marquera « la réalisation plénière de leur condition d'hommes spirituels [33] » et le triomphe universel du Christ sur la mort :

> Le dernier ennemi détruit, c'est la Mort [34].

Désormais la souffrance aura disparu :

> Dieu essuiera toute larme de leurs yeux : de mort, il n'y en aura plus ; de pleur, de cri et de peine, il n'y en aura plus, car l'ancien monde s'en est allé [35].

La création matérielle sera affranchie de l'esclavage de la vanité :

> La création en attente aspire à la révélation des fils de Dieu : si elle fut assujettie à la vanité, — non qu'elle l'eût voulu, mais à cause de celui qui l'y a soumise, — c'est avec l'espérance d'être elle aussi libérée de la servitude de la corruption pour entrer dans la liberté de la gloire des enfants de Dieu. Nous le savons en effet, toute la création jusqu'à ce jour gémit en travail d'enfantement [36].

Dans l'association du monde matériel à la gloire des enfants de Dieu, il faut inclure, en particulier, le fait que la création retrouvera, par l'intermédaire de l'homme ressuscité, le contact avec la gloire divine et reprendra sa place théologique normale puisqu'elle sera pleinement rapportée à Dieu par l'homme qu'Il avait établi pour la dominer [37].

---

32. Ap. **21**, 3.
33. J. Schmitt, *Jésus ressuscité dans la prédication apostolique*, Paris, 1949, p. 47. — Il est à noter que le mot « spirituel » n'est pas synonyme d' « immatériel », mais désigne la qualité de ce qui est sous l'influence de l'Esprit-Saint.
34. 1 Cor. 15, 26.
35. Ap. **21**, 4.
36. Rom. 8, 19-22.
37. Gen. 1, 28.

Le retour du Seigneur marquera ainsi la plénitude de sa victoire sur le péché et le terme du mystère rédempteur.

La Parousie est l'*achèvement personnel et communautaire* du salut. Ceux qui se sont endormis dans le Seigneur le connaissent face à face dans la vision qui succède à la foi et l'espérance et dans la charité qui demeure [38]. Au moment du retour du Seigneur, la résurrection qui leur apportera sur le plan personnel la plénitude du salut sera en même temps l'achèvement communautaire de l'histoire du salut : dernier état de croissance du Corps du Christ, la résurrection sera le triomphe du Christ et de toute l'Eglise. Selon le plan divin, les membres du peuple de Dieu ne seront pleinement sauvés qu'au moment où tout le peuple sera sauvé.

Cet achèvement de l'histoire du salut aura lieu *dans le Christ,* il se produira au moment de son retour ; les élus seront pour toujours avec le Seigneur, sauvés par la plénitude de sa grâce ; en Jésus, nouvel Adam, se réalisera le dessein divin de

ramener toutes choses sous un seul chef, le Christ,
les êtres célestes comme les terrestres.

C'est Lui, enfin, qui, achevant sa mission salvifique, remettra au Père le Royaume,

le peuple que Dieu s'est acquis, pour la louange de sa gloire [39].

DATE DE LA PAROUSIE

L'espérance de l'Eglise est tout orientée vers le retour du Seigneur, et il est normal que les chrétiens se soient demandé à quelle époque il se produirait et aient cherché

---

38. 1 Cor. 13, 8-13.
39. Eph. 1, 10 et 1, 14.

dans les Ecritures la réponse à cette question. En fait les données bibliques sont assez restreintes : elles se ramènent à une déclaration très nette sur le jour et l'heure de la Parousie et à l'indication de certains événements qui doivent se produire avant la fin des temps.

La date du retour du Christ est un secret que Dieu s'est réservé et qu'il n'appartient pas à l'homme de connaître. Jésus le déclare solennellement dans le discours eschatologique :

Quant à la date de ce jour, ou à l'heure, personne ne les connaît, ni les anges dans le ciel, ni le Fils, personne que le Père [40].

Une parole aussi claire doit suffire à décourager tout chrétien de se livrer à des spéculations inutiles sur la date du retour du Seigneur et l'inciter à mettre en pratique le conseil du Maître :

Veillez donc, car vous ne savez pas quand le maître de la maison viendra [41].

Cependant Dieu a révélé certains événements qui doivent se produire avant la Parousie. Comme on l'a vu au chapitre précédent, *la conversion d'Israël comme peuple se produira d'ici la fin du monde,* quand l'ensemble du monde païen aura eu accès à l'Eglise. Mis à part cette affirmation, on ne peut en tirer une conclusion précise sur la date de la Parousie : d'un côté, on ignore si la conversion d'Israël se produira brusquement ou si elle s'effectuera au cours d'une période assez longue ; d'un autre côté, on ne peut dire avec certitude qu'elle sera suivie imédiatement de la Parousie. Le texte de saint Paul à ce propos est diversement interprété :

Si leur mise à l'écart fut une réconciliation pour le monde,

---

40. Mc. 13, 32.
41. Mc. 13, 35.

que sera leur admission, sinon une résurrection d'entre les morts [42] ?

Pour beaucoup d'exégètes, il s'agit de la résurrection finale, qui, à plus ou moins bref délai, suivra la conversion des Juifs ; mais quelques-uns, traduisant mot à mot « une vie d'entre les morts », pensent que l'Apôtre veut seulement indiquer que la conversion d'Israël sera pour l'Eglise un bienfait surnaturel extraordinaire et, par conséquent, ne mettent pas de lien chronologique, même assez large, entre la conversion d'Israël et la Parousie : ils retiennent seulement le fait qu'Israël se convertira d'ici la fin du monde.

D'un texte important de la seconde épître aux Thessaloniciens et de plusieurs passages de l'Apocalypse [43], on conclut ordinairement [44] que, « avant l'avènement des derniers temps, *l'Eglise devra subir un assaut généralisé et extrêmement redoutable* de la part des nations païennes, assaut *qui mettra son existence même en danger* [45] ». Mais ce fait, pas plus que le précédent, ne permet de fixer d'une manière précise le moment de la Parousie : d'une part, les persécutions dont l'Eglise est l'objet font pour ainsi dire partie de sa condition pérégrinante, et la tendance normale de celui qui est persécuté est d'identifier l'épreuve qu'il subit à

---

42. Rom. 11, 15.

43. 2 Thess. 2, 1-12 ; Ap. **13** ; **20**, 7-10.

44. Le fait que la dernière phase du combat doit être, grâce à la puissance de Satan et à ses faux prodiges, la plus acharnée et la plus dangereuse a même « été contesté, car l'Evangile ne dit rien de pareil et on est dès lors fondé à se demander si, soit dans saint Paul, soit dans l'Apocalypse, il ne faut pas faire la part d'un procédé littéraire dramatisant l'épisode final de la lutte par une recrudescence de persécution et de déchaînement du mal, afin de mettre en pleine lumière le caractère éclatant, irrésistible et soudain du triomphe du Christ » (opinion citée par F. Amiot, *Epîtres aux Thessaloniciens,* Paris 1946, p. 274, n. 3). Bien que cette opinion ne représente pas l'exégèse couramment reçue, il y a lieu de savoir qu'elle existe.

45. R.P. Boismard, *art. cit.,* pp. 69-70.

la grande persécution de la fin des temps ; d'autre part, les détails de la description de cet assaut contre l'Eglise sont difficiles à interpréter : les exégètes ne s'accordent pas sur l'identité de l'« adversaire » dont parle saint Paul (individu ou collectivité ?) ni sur la nature de « celui qui le retient [46] ». Il faut donc retenir le signe qui est annoncé, mais, pour ce qui est de la date de la Parousie, s'en tenir avant tout à la parole du Seigneur :

Veillez, car vous ne savez pas quand ce sera le moment [47].

ATTITUDE CHRETIENNE DANS L'ATTENTE DE LA PAROUSIE

Si le chrétien n'est pas appelé à connaître l'heure de la Parousie, la certitude qu'elle se produira commande, néanmoins, son attitude. Avec l'Eglise en marche vers le Royaume, il vit dans l'*espérance* du retour du Seigneur, et ceci donne une dimension eschatologique à son comportement actuel.

Il fait sienne la *prière* des premiers chrétiens :

Viens, Seigneur Jésus [48].

Et, quand il participe à la célébration de l'Eucharistie, il se souvient de la parole de l'Apôtre :

Chaque fois que vous mangez ce pain et que vous buvez cette coupe, vous annoncez la mort du Seigneur, jusqu'à ce qu'Il vienne [49].

La certitude du retour du Christ le remplit de *joie*, et

---

46. 2 Thess. **2, 7**. Pour une étude détaillée de ces textes, voir les commentaires qui leur sont consacrés, par ex. : B. Rigaux, O.F.M., *Les épîtres aux Thessaloniciens*, Paris 1956.
47. Mc. **13, 33**.
48. Ap. **22, 20**.
49. 1 Cor. **11, 26**.

cette joie est d'autant plus profonde qu'il a reçu au baptême la grâce du Christ et « les prémices de l'Esprit [50] ».
*Les difficultés, la souffrance et la persécution ne le con-
duisent pas au découragement,* car elles sont la croix qu'il
est appelé à porter comme disciple du Christ [51] et le chemin qui le conduit à la Résurrection :

J'estime que les souffrances du temps présent ne sont pas à
comparer à la gloire qui doit se révéler en nous [52].

Sa joie n'est pas naïve et insouciante, et il prend garde
d'oublier l'invitation à la *vigilance* contenue dans l'Evangile : si l'amour du Christ est le mobile de sa vie, il tient
compte de sa propre faiblesse. Il prie, se sacrifie et sait rester lucide pour demeurer dans la fidélité à l'amour du
Christ et ne pas se mettre, par son refus, éternellement en
dehors du dessein rédempteur :

Je meurtris mon corps et le traîne en esclavage, de peur
qu'après avoir servi de héraut pour les autres, je ne sois moi-
même disqualifié [53].

La pensée du retour du Seigneur lui fait situer l'*essentiel
de son espérance dans le Royaume :*

Que sert à l'homme de gagner le monde entier, s'il ruine sa
propre vie [54] ?

Elle l'amène à porter une *appréciation de sagesse sur les
choses et les événements en fonction du dénouement de
l'histoire et à vivre dans le détachement* en ce monde dont
la figure passe [55] : qu'il vive dans la chasteté parfaite pour
un plus grand service de Dieu et de ses frères, qu'il pra-

---

50. Rom. 8, 23.
51. Mc. 8, 34.
52. Rom. 8, 18.
53. 1 Cor. 9, 27.
54. Mc. 8, 36.
55. 1 Cor. 7, 31.

tique la pauvreté et le don de soi dans les conditions et les engagements qui correspondent à son état de laïc, le chrétien témoigne, par son détachement, d'un jugement de valeur qui est celui de l'Evangile. Ce même jugement le conduit à *attacher la plus grande importance à la proclamation du message du Christ auquel* chaque homme est appelé à appartenir au moment de la Parousie.

L'attente du retour du Seigneur, qui permet au chrétien d'apprécier toutes choses à leur valeur respective, *ne tourne pas* chez lui *à une attitude méprisante vis-à-vis des hommes et du monde créé ni à l'indifférence envers la communauté humaine,* à laquelle la charité lui demande de participer loyalement. Les vigoureuses mises au point faites par saint Paul dans la seconde épître aux Thessaloniciens ne permettent aucun doute à ce sujet. L'attitude du chrétien est eschatologique, « mais à la manière de saint Paul, non à la manière des illuminés de Thessalonique ; elle ne consiste pas, comme on semblerait quelquefois le penser, à négliger les devoirs du présent, à se désintéresser de la terre, ou à mettre la charité en vacances jusqu'à la fin du monde [56] ».

LECTURES

Marc 13, 1-37.
Matthieu 25, 31-46.
Corinthiens 7, 29-31 ; 15, 22-28.
1 Thessaloniciens 4, 13-5, 11.
2 Thessaloniciens 2 et 3.
Apocalypse 21 et 22.

---

56. R.P. de Lubac, *Méditation sur l'Eglise,* 3e éd., p. 221.

Chapitre Quinzième

LA BIBLE, LUMIÈRE DE VIE

Au début de cet ouvrage, la question a été posée de savoir si la Bible contient une mystique, c'est-à-dire une vision du monde et de l'histoire qui pousse l'homme à agir et oriente son action. Chaque étape du dessein de Dieu a ensuite fourni les éléments d'une réponse affirmative : à propos de chacune, on a noté sa dimension universelle, sa place dans l'histoire du salut du monde, ses répercussions dans la vie. Ainsi s'est dégagée progressivement la vision originale du monde et de l'histoire que Dieu révèle dans la Bible et qui porte le chrétien à agir en même temps qu'elle oriente son action. Par le fait même, la Bible apparaît comme lumière de vie, et c'est sur cette idée qu'il convient d'achever cette vue d'ensemble du mystère du salut, quitte à reprendre certains éléments rencontrés précédemment.

LA BIBLE REVELE LE DIEU QUI CONDUIT L'HISTOIRE DU SALUT

La Bible est lumière de vie à divers titres. Elle l'est, tout d'abord, parce qu'elle fait connaître le Dieu qui conduit l'histoire du salut. De la création au retour du Christ, un seul et même Dieu réalise son dessein sur le monde : le Dieu créateur, le Dieu d'Abraham, d'Isaac et de Jacob, le Dieu qui a parlé par les prophètes, le Dieu qui s'est révélé Père, Fils et Esprit-Saint, est *le Dieu unique,* principe et fin de toutes choses :

Il n'y a qu'un seul Dieu, le Père, de qui (viennent) toutes choses et vers qui nous (allons), et un seul Seigneur, Jésus-Christ, par qui (viennent) toutes choses et par qui nous (allons vers le Père) [1].

C'est un *Dieu qui se fait connaître.* Il se manifeste par ses œuvres :

Les cieux racontent la gloire de Dieu,
et l'œuvre de ses mains, le firmament l'annonce [2].

Il se révèle dans les paroles qu'Il adresse aux hommes, dans sa conduite à l'égard de son peuple et, surtout, dans l'Incarnation : la Bible est lumière de vie parce qu'elle contient la révélation de Celui qui est la Lumière et la Vie [3].

Le Dieu de la Bible est aussi le *Dieu transcendant, Seigneur de l'histoire,* dont Il est, à la fois, le guide et le terme et à laquelle Il donne un sens en y entrant.

C'est le *Dieu d'amour,* le « Dieu de tendresse et de pitié [4] », dont la « miséricorde » est semblable à l'amour presque physique de la mère qui ne peut s'empêcher d'avoir pitié de l'enfant auquel elle a donné le jour, même quand il a péché, et dont l'amour est évoqué par les prophètes sous l'image de l'amour humain le plus élevé, celui d'un époux pour son épouse et celui d'une mère pour son enfant. L'histoire du salut est faite des initiatives de Dieu en faveur

---

1. 1 Cor. 8, 6 (traduction du R.P. Sagnard).
2. Ps. 19, 2.
3. Jn. 8, 12.
4. Ex. 34, 6. — La racine *raham,* qui sert à traduire la tendresse miséricordieuse de Dieu, évoque le frémissement de l'amour maternel.

des hommes : la Création, l'Alliance, l'Incarnation rédemptrice, la fondation de l'Eglise, le don de l'Esprit-Saint. Dieu manifeste sa transcendance jusque dans cet amour dont les voies déconcertent la sagesse humaine : la folie de la croix qui est sagesse de Dieu [5], la proclamation des Béatitudes qui va à l'encontre d'une appréciation trop terre à terre du bonheur...

> Vos pensées ne sont pas mes pensées
> et mes voies ne sont pas vos voies, oracle de Yahweh.
> Haut est le ciel au-dessus de la terre,
> aussi hautes sont mes voies au-dessus de vos voies,
> et mes pensées au-dessus de vos pensées [6].

Dieu des promesses et de l'Alliance, le Seigneur est, enfin, le *Dieu fidèle,* celui qui ne manque jamais et sur lequel on peut toujours s'appuyer :

Il est fidèle, le Dieu par qui vous avez été appelés à la communion de son Fils, Jésus-Christ, notre Seigneur [7].

LA BIBLE DONNE UNE MYSTIQUE AUX DIMENSIONS DU MONDE

La Bible est encore lumière parce qu'elle contient une mystique aux dimensions du monde. *L'histoire biblique* va de la Genèse à l'Apocalypse : elle commence avec la création du monde pour s'achever dans les « cieux nouveaux et la terre nouvelle ». *La Parousie* marquera la primauté du Christ sauveur sur toute la création, qui « aspire à la révélation des fils de Dieu [8] », et la réunion de toutes choses dans le Christ, conformément au dessein éter-

---

5. 1 Cor. 1 et 2.
6. Is. 55, 8-9.
7. 1 Cor. 1, 9.
8. Rom. 8, 19.

nel de Dieu [9]. *L'appel au salut* est universel, car le Christ est mort pour tous et Dieu veut le salut de tous les hommes. *L'Eglise* est catholique, chargée d'annoncer l'Evangile au monde entier et de réunir dans le Christ tous les hommes et toute valeur humaine. Chacun de ceux qui répondent à l'appel divin sera *totalement sauvé, corps et âme* : le christianisme se sépare ici de la pensée grecque, qui voit le salut dans la libération de la matière ; pour lui, la création sortie des mains de Dieu est bonne, et le salut consiste à la purifier du péché ; le chrétien n'est ni matérialiste, ni faussement spiritualiste, mais lucidement optimiste en face du monde.

LA BIBLE FAIT DECOUVRIR LE SENS DE L'HISTOIRE DU MONDE

De dimensions cosmiques, la mystique biblique fait aussi connaître le sens de l'histoire : elle ne dispense pas plus l'historien d'étudier les faits et les civilisations que la révélation de la création ne dispense le savant d'étudier les phases géologiques, mais elle donne une vision révélée du dynamisme de l'histoire dont l'importance est capitale.

Pour la Bible, l'histoire n'est pas un perpétuel renouvellement des choses, même si des événements analogues se produisent parce que les hommes ont une commune nature et sont enclins au péché : *l'histoire a un sens linéaire,* non cyclique, elle est une *suite de faits définitivement acquis et orientés vers un même but* (création, choix d'Abraham, Alliance, Incarnation, Pâque du Christ, fondation de l'Eglise, Pentecôte...), elle est composée d'existences personnelles, concrètes et irremplaçables.

Le sens de l'histoire biblique est de *libérer l'homme dans*

---

9. Eph. 1, 10.

le Christ, qui lui a apporté la Vérité et la Vie, et cette libération sera pleinement achevée à la Parousie : « Le sens de
l'histoire, comme disent les marxistes, et nous sommes
d'accord avec eux, est de libérer l'homme, mais nous di-
sons que seul Jésus-Christ peut le faire, et ceux qui Le
continuent... Ce qui constitue le contenu propre du christianisme, ce qui fait en définitive sa transcendance, c'est
Jésus-Christ, Fils de Dieu, qui nous donne le salut [10]. »

Ainsi la Bible fait-elle percevoir au croyant *le sens profond de l'histoire :* Il n'y a pas, en effet, deux histoires du
monde plus ou moins parallèles, l'histoire purement humaine, constituée par la succession des empires, et on ne
sait quelle histoire plus ou moins artificiellement rac-
crochée à celle-ci : il n'y a qu'une histoire dont l'aspect
phénoménal le plus immédiat est décrit dans les ouvrages
historiques et dont l'aspect le plus profond en même temps
que le plus riche de réalité est affirmé par le croyant
sur la foi de la Parole divine. En même temps que se dé-
roulent les événements et que se succèdent les civilisations,
se réalise l'histoire du Corps du Christ en croissance jusqu'au retour du Seigneur : « Aux yeux du chrétien, les
apparences historiques ne sont que les ombres de l'histoire vraie, celle qui ne s'écrit pas, que ni les historiens ni
les hagiographes même ne peuvent consigner et qui, accomplie dans le temps, s'enregistre dans l'éternité pour
être récapitulée, au dernier jour, par le Christ Juge. C'est
l'Histoire sainte, la seule véritable histoire, profonde, secrète, intérieure comme la gloire de la Fille du Roi, l'histoire de l'humanité créée, déchue et sauvée, allant vers sa
consommation, qui est le retour à Dieu dans l'amour universel par la progressive plénitude du corps mystique. En
ce sens l'Eglise fait l'histoire et la fait seule, les accidents

---

10. J. Daniélou, *Essai sur le mystère de l'histoire,* pp. 83 et
116.

et les incidents profanes prenant figure de phénomènes et de conditions. De même que l'Eglise tend à se confondre avec l'espèce humaine, de même l'histoire de l'Eglise tend à se confondre avec l'histoire de l'humanité, devenue histoire sainte [11] ».

LA BIBLE FAIT CONNAITRE LES DIVERS ASPECTS DE LA CONDITION ACTUELLE DU CHRETIEN

Engagé dans l'histoire sainte et vivant déjà dans le Christ, le chrétien se trouve ici-bas dans une condition religieuse qui n'a pas encore atteint son achèvement et qui peut sembler paradoxale à bien des égards. La Bible permet d'en connaître les divers aspects.

Le chrétien *n'est pas du « monde » et il vit dans le monde :* régénéré par la grâce baptismale, il n'est pas du « monde », qui refuse la lumière de Dieu et s'oppose au Christ, et cependant il vit dans le monde [12].

Il *collabore à l'extension du Royaume de Dieu, sans cesser de travailler à la construction plus fraternelle de la cité terrestre.* L'objet essentiel de son espérance est le retour du Seigneur et l'accroissement du Corps du Christ jusqu'à sa pleine stature, mais sa participation à la construction d'une cité plus fraternelle est un effet et un signe de la charité dans laquelle il doit se préparer au second avènement de Jésus et collaborer à l'édification du Corps du Christ [13] :

Si quelqu'un, jouissant des richesses du monde, voit son frère

---

11. J. Folliet, *L'Eglise dans l'histoire,* dans *Informations Catholiques Internationales,* 1er févr. 1956, p. 3.
13. Eph. 4, 16.
12. Jn. 17, 11, 15-16.

dans la nécessité et lui ferme ses entrailles, comment l'amour de Dieu demeurerait-il en lui [14] ?

Il ne *vit* pas, du reste, *son christianisme* à la manière d'un individu isolé, mais *comme une personne dans un peuple :* justifié personnellement au moment du baptême, le chrétien est connu et aimé nommément par le Christ [15] et sera jugé d'après ses responsabilités propres, mais son salut s'opère à l'intérieur de l'Eglise, dans la solidarité du Corps du Christ, et ne sera définitivement achevé, lors de la Résurrection générale, qu'au moment où il s'achèvera pour tout le peuple de Dieu.

Dans la condition présente, le salut pour le chrétien est *déjà acquis,* mais il est *susceptible d'être perdu :* purifié du péché par le baptême, le chrétien n'est pas devenu impeccable. Vivant dans le Christ d'une vie nouvelle, possédant les prémices de l'Esprit, il est, pour l'essentiel, déjà sauvé ; cependant le baptême ne lui assure pas automatiquement le salut, et, selon le conseil de Jésus, il veille constamment à se montrer fidèle à l'Evangile et à ne pas se mettre par sa faute hors de la voie où le Seigneur l'a établi.

Le salut en effet est *un don auquel l'homme doit correspondre librement.*

Nul n'a insisté plus que saint Paul sur sa gratuité :

Dieu, qui est riche en miséricorde, à cause du grand amour dont Il nous a aimés, alors que nous étions morts par suite de nos fautes, nous a fait revivre avec le Christ, — c'est par grâce que vous êtes sauvés [16] !

Mais Dieu qui a créé l'homme à son image, intelligent et libre, n'impose pas le salut : sous l'action de la grâce, l'homme y acquiesce librement dans la foi et y correspond par toute sa vie, Là encore l'enseignement de saint Paul est

---

14. 1 Jn. **3**, 17.
15. Jn. **10**, 3, 14.
16. Eph. **2**, 4-5.

formel, et il suffit, pour s'en convaincre, de parcourir ses épîtres. Aussi l'attitude du chrétien est-elle à la fois celle du pauvre qui reçoit tout de Dieu et se tient dans la foi, l'humilité et la confiance, celle du prophète qui, avec la force de Dieu, annonce et rappelle le message de salut et celle du sage qui, à la lumière de Dieu, applique dans le comportement quotidien la révélation reçue.

La spiritualité du chrétien s'inspire de trois moments du mystère de Jésus : *Incarnation,* Passion, Résurrection. Le chrétien est un homme de son temps, parle son langage, a le sens du concret et de l'efficacité, sans faire de l'efficacité immédiate la règle première de son action ; en un mot, il a le *souci d'être en contact avec le monde,* mais *pour lui porter Dieu.* Dans le désir de sauver toutes les valeurs de ce monde, il sait, tout en restant lucide, être ouvert et accueillant et ne pas se montrer systématiquement opposé à tout ce qui est nouveau. Dans sa vie religieuse, il a des heures de prière silencieuse, qui ne le séparent pas de ses frères, et d'autres où il aime se retrouver avec eux pour la proclamation de la Parole de Dieu et la célébration de l'Eucharistie. *Ressuscité* avec le Christ par le baptême, il vit dans sa communion et se sait uni en Lui à tous ses frères : c'est la source d'une joie, d'une patience et d'une espérance indéfectibles. Cependant sa participation à la Résurrection du Christ n'est pas achevée, et le chrétien se trouve encore dans une condition souffrante où il participe au *mystère de la Croix :* disciple du Christ qui a donné sa vie pour que le monde soit sauvé, il ne peut rêver d'une existence où la croix n'aurait pas sa place :

Si quelqu'un veut venir à ma suite, qu'il se renie lui-même, se charge de sa croix chaque jour, et qu'il me suive [17].

Condition pour suivre le Maître et chemin qui conduit à la résurrection, la croix n'en est pas moins dure à porter

---

17. Lc. 9, 23.

et, à certaines heures, la prière du Christ demandant à son Père d'éloigner le calice revient sur les lèvres de ses disciples avant de s'achever en un consentement à la volonté divine : ce n'est pas en eux-mêmes mais dans l'union au Christ qu'ils trouvent la force de souffrir et que leur croix devient à l'intérieur de l'Eglise d'une merveilleuse fécondité spirituelle.

Ces quelques aspects de la condition terrestre du chrétien montrent qu'elle est une condition difficile où l'inconfortable est de règle et l'installation spirituelle un non-sens et où il est nécessaire de s'appuyer sur Dieu. Tout se résout dans un engagement et un don de la personne au service du Christ.

LA BIBLE FAIT PRENDRE CONSCIENCE AU CHRETIEN DE SON ROLE DANS LE DESSEIN DE DIEU

La Bible y invite le chrétien, car elle lui fait prendre conscience de sa place dans l'histoire du salut et du rôle qu'il est appelé à y jouer. Elle montre le *caractère irremplaçable de chacun*, appelé et connu personnellement par Dieu, et le *retentissement éternel* de chaque vocation. Un écrivain contemporain a écrit cette phrase qui est tout à fait dans l'esprit de la Révélation: « Si tu te dérobes, l'éternité sera vide de cette ressemblance au Christ qui ne pouvait se réaliser que par toi » (Françoise). Elle fait comprendre au baptisé qui appartient à l'Eglise et vit dans sa communion qu'il *participe à sa mission à la place que le Seigneur lui a départie :* elle le met ainsi en garde contre une inertie coupable et contraire à la vocation chrétienne ou, au contraire, lui apprend que toute destinée, même la plus contrariée sur le plan humain, a une valeur inestimable et peut-être une richesse spirituelle pour l'Eglise. Le chrétien trouve dans la Parole de Dieu une *orientation pour la vie :* le commandement nouveau, les Béatitudes, la foi qui lui permet d'apprécier les choses d'un point de vue surnaturel, l'impossibilité de séparer la foi et la charité dans la connaissance de Dieu comme dans la vie. La Bible révèle encore au chrétien *la source de sa vie,* le Christ, et *le milieu* où elle se développe et où il doit la mener, l'Eglise. Elle l'aide, enfin, à acquérir et à garder dans sa réponse à l'appel du Seigneur *le sens de Dieu* et de sa gloire.

ATTITUDE CHRETIENNE DEVANT LA REVELATION DU MYSTERE DU SALUT

Tout ce qui a été écrit dans le passé le fut pour notre instruction, afin que la constance et la consolation que donnent les Ecritures nous procurent l'espérance [18].

La Bible où Dieu révèle son dessein de salut a été écrite « pour notre instruction à nous qui touchons à la fin des temps [19] » : la première attitude du chrétien devant le Dieu qui parle est de *recevoir sa Parole.* Négliger de la connaître ou n'en prendre qu'une connaissance superficielle serait une omission coupable que Dieu n'est nullement obligé de réparer en suppléant par des lumières extraordinaires à un mépris pratique de la Révélation. Dieu l'a confiée à son Eglise et l'a chargée de la transmettre, de l'interpréter authentiquement et d'en appliquer les données aux hommes de chaque génération. Fidèle à sa mission, l'Eglise nourrit les fidèles de la Parole de Dieu. Jamais elle « ne célèbre les saints-mystères de l'Eucharistie sans rompre en même temps le pain de la Parole de Dieu [20] ». C'est *dans l'Eglise et de l'Eglise* que le chrétien reçoit avec foi la Parole de Dieu, et les catholiques pouvaient, récemment, lire avec

---

18. Rom. **15**, 4.
19. 1 Cor. **10, 11.**
20. R. Poelman, dans *La Bible et le prêtre,* Louvain 1951, p. 169.

joie cette parole d'un de leurs frères séparés : « L'Ecriture Sainte est le livre de l'Eglise et ne peut être réellement comprise qu'au sein du peuple de Dieu [21]. »

La Bible est un merveilleux livre de prière, et les textes liturgiques sont tissés de passages de l'Ecriture : le chrétien doit *prier avec la Bible*. S'il la lit avec foi, s'il la médite pour y chercher Dieu, s'il reprend les Psaumes qui sont une mise en prière du dessein de Dieu, s'il part des prophètes, de l'Evangile ou des épîtres pour élever son âme vers Dieu, il se formera progressivement à une authentique spiritualité chrétienne.

Celle-ci débouche forcément sur une *mise en pratique de la Parole divine* et conduit à entrer, par une vie de charité de plus en plus parfaite, dans la réalisation du dessein de Dieu et, par là-même, à pénétrer dans cette sagesse, cachée aux sages et aux prudents, et accessible à ceux qui sont « accordés » au Christ par l'amour qu'Il leur communique.

Que le Christ habite en vos cœurs par la foi, et que vous soyez enracinés, fondés dans l'Amour. Ainsi vous recevrez la force de comprendre, avec tous les saints, ce qu'est la Largeur, la Longueur, la Hauteur et la Profondeur, vous connaîtrez l'amour du Christ qui surpasse toute connaissance, et vous entrerez par votre plénitude dans toute la Plénitude de Dieu.

A Celui dont la puissance agissant en nous est capable de faire bien au-delà, infiniment au-delà de tout ce que nous pouvons demander ou concevoir, à Lui la gloire, dans l'Eglise et le Christ Jésus, pour tous les âges et tous les siècles ! Amen [22].

---

21. R.M.A. dans *Réforme*, 2 février 1957.
22. Eph. 3, 17-21.

TABLE DES MATIÈRES

Bibliographie 7

Principales abréviations 8

Avant-propos 9

Chapitre premier. — La Bible contient-elle une mystique ? 13

    Notion de mystique 13
    Ancien Testament : mystique fondée sur des pro-
    messes 15
    Nouveau Testament : mystique au sens plein du
    terme 16
    Présentation paulinienne 17
    Traits caractéristiques 19
    Les grandes étapes du mystère du Salut 19
    Comment utiliser ce livre ? 20

Chapitre second. — La Création et le péché 21

    Premières pages sur les origines 21
    Que chercher dans ces chapitres ? 22
    Les récits de la Création 23
    La cosmogonie. — Premier récit de la Création 24
    Second récit : la Création et la chute 26
    L'unicité du couple originel 30
    Création et mystique chrétienne 33

Chapitre troisième. — ABRAHAM, LE PÈRE DU PEUPLE ÉLU.   35

Importance d'Abraham dans la Bible   35
Abraham, un homme dans l'Histoire   37
Les récits de la Genèse concernant Abraham   38
La vocation d'Abraham   40
La promesse   41
Attitudes de Dieu et de l'homme   43
Abraham, l'ami de Dieu   44
Abraham et nous   45

Chapitre quatrième. — LIEUX ET DATES DE L'HISTOIRE
BIBLIQUE   47

Le pays biblique   47
La Palestine, centre du Croissant fertile   51
La Bible et l'histoire générale de l'Ancien Orient   51
Les grandes dates de l'histoire biblique   53

Chapitre cinquième. — MOÏSE ET L'EXODE   59

Les Hébreux au pays d'Egypte   59
Moïse   60
Les récits de la sortie d'Egypte et l'Histoire   61
La sortie d'Egypte   64
Le Dieu de l'Exode   68
Résonances bibliques de l'Exode   69

Chapitre sixième. — MOÏSE ET L'ALLIANCE   71

L'Alliance du Sinaï et la destinée d'Israël   71
Antécédents sociologiques et religieux de l'Alliance...   72
L'Alliance du Sinaï   72
L'Alliance du Sinaï, prélude de la Nouvelle Alliance.   78
L'Alliance du Sinaï et le peuple chrétien   79

Chapitre septième. — LE PROPHÉTISME ET LES PROPHÈTES.   81

Cadre religieux et politique   81
Le prophétisme, élément capital de la vie religieuse
  d'Israël   82
Les prophètes dont parle la Bible   84
Le prophète   86
Rôle et originalité des prophètes en Israël   90
Quelques types de prophètes   91
Les prophètes d'Israël et les chrétiens   97

Chapitre huitième. — L'EXIL   99

L'Exil en Babylonie   99
Facteurs du renouveau   101
Guides religieux d'Israël   102
L'Exil dans l'histoire religieuse d'Israël   108
L'Exil, source d'enseignement pour le chrétien   110

Chapitre neuvième. — LES SAGES D'ISRAËL   113

Les Sages de l'Ancien Orient   113
Les Sages en Israël   115
Le Sage israélite   117
Ecrits des Sages   119
Le rôle des Sages   125

Chapitre dixième. — LES PAUVRES DE YAHWEH   127

Ecueils à éviter   127
Le vocabulaire de pauvreté   129
La spiritualité des pauvres dans le mouvement de
  l'Histoire   129
Les pauvres de Yahweh   137
La Vierge Marie, sommet de l'espérance des pauvres.   139
Le Christ, pauvre de Dieu   140
Actualité du message des pauvres   141

Chapitre onzième. — LE CHRIST 145

Le Christ dans la continuité de l'histoire du salut 145
Jésus au centre du dessein de salut 147
La personne de Jésus 148
Les trois phases du mystère de Jésus 150
Le Christ, source de grâce et de vérité 156
Le commandement nouveau 158
Notre attitude en face du Christ 159

Chapitre douzième. — L'EGLISE 163

L'Eglise dans la continuité de l'histoire du salut 163
Le Christ et l'Eglise 166
L'Esprit et l'Eglise 169
La mission de l'Eglise 173
Aspects de l'Eglise 177
Attitude du chrétien dans l'Eglise 179

Chapitre treizième. — PAÏENS ET JUIFS EN FACE DU SALUT. 183

Les problèmes 183
Principes fondamentaux 184
Le salut des non-évangélisés 187
Le salut des Juifs 191
Attitudes chrétiennes 196

Chapitre quatorzième. — LE RETOUR DU CHRIST 201

La foi au retour du Christ 201
Vocabulaire et style 203
La Parousie 206
La Parousie, achèvement de l'histoire du salut 210
Date de la Parousie 212
Attitude chrétienne dans l'attente de la Parousie 215

Chapitre quinzième. — LA BIBLE, LUMIÈRE DE VIE 219

La Bible révèle le Dieu qui conduit l'histoire du salut. 219
La Bible donne une mystique aux dimensions du
    Monde 221
La Bible fait découvrir le sens de l'histoire du Monde. 222
La Bible fait connaître les divers aspects de la con-
    dition actuelle du chrétien 224
La Bible fait prendre conscience au chrétien de son
    rôle dans le dessein de Dieu 227
Attitude chrétienne devant la révélation du mystère
    du salut 228

ACHEVÉ D'IMPRIMER PAR
L'IMPRIMERIE G. GOUIN
37, RUE DE L'UNION
A EZANVILLE (S.-et-O.)

Dépôt légal : 4e trimestre 1962
Nᵒ d'éditeur : 2346
Nᵒ d'imprimeur : 643